最 励志 校园小说

再见了，拖拉

最 励志 校园小说

再见了，
拖拉

■徐志源／著　　■李映林／绘　　■南权萍／译

长江出版传媒
湖北少年儿童出版社

有计划地生活是成功的动力

十年来我采访过很多成功人士，每次我问到"有没有什么特别的成功秘方"时，他们都会说出相同的答案，那就是自信心，即信任自己的积极态度。我接着问道："这种心态怎样才可以形成呢？"他们会回答说："按计划一步一步地生活。"成功者通常都是在实现小计划的过程中获得自信的，因为实现过小计划的人才有可能实现自己的梦想。如果连小计划都没有实现过，那么这个人就会连实现梦想的勇气都没有。实现小计划的过程使我们能充分拓展思路，丰富自己的知识和提升能力，从而感受到成功的快乐。

主持人一般都按照工作计划表生活，我们会按照上台前的开会讨论、化妆、彩排、现场录制、确定录制效果等过程来完成自己的工作。假如主持人不能遵守录制节目的约定时间，那么会影响制片人及自己的声誉，因为那样就和观看电视节目的观众朋友们失约了。所以在挑选主持人时，制片人最重视、最优先考虑的就是主持人的诚信度，即使是很有名气的主持人，制片人也会优先考虑能脚踏实地实现计划的主持人。

计划性是勇往直前的动力，想要成为主持人就要抓住这个动力，这样才会更快地达成目标。

《再见了，拖拉》这本书将会告诉大家关于制订计划的知

识。首先它会说明制订计划的重要性。自觉制订计划的过程是成长的过程，因为在这个过程中的不断检讨和反省会使我们前进和成长。

其次它会阐述制订优先顺序的方法。当我们充分理解事情的重要性后，我们才可以合理地安排时间，确定事情完成的优先顺序以完成更多的事情。

最后它会讲解如何制订适合自己的计划。大部分人的问题是最初的计划制订得太难，以致刚开始我们可能会有激情去实现计划，但却维持不了太长的时间，因为我们会难以承受这个计划带来的压力。

希望大家记住，计划的制订和实现不仅是自己拓展思路、丰富知识和提升能力的方法，而且也是真正珍惜自己生命的方法。相信《再见了，拖拉》这本书将会成为大家制订合理计划的指南针。

KBS 电视台主持人　金银成

目 录

Plan 1

寻找梦想

Plan 2

珍惜时间

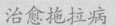

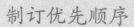

寻找梦想

每个人都有自己想做的事情,
每个人都有梦想,
但不是每个人都可以实现梦想。
如果你想实现梦想,
那么请你制订一个完美的计划吧。
计划是实现梦想的阶梯,
我们要像爬阶梯一样,
一步步地走上去。
有朝一日,
你一定可以登上天空,
摘下那颗梦寐以求的星星。

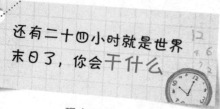

还有二十四小时就是世界末日了，你会干什么

现在离世界末日还剩下 22 小时 55 分 42 秒。
此时此刻，明月小朋友会干什么呢？

"哇，天哪！"秃头叔叔竟然用手猛力抓着头上所剩无几的头发，"怎么可以？难道这就是世界末日？"

路边的大婶捂住了嘴巴，一个年轻女孩咬着指甲，老爷爷用双手捂住了自己的脸，还有个满脸青春痘的年轻人一副惊慌失措的样子。

这时，主持人尖锐的声音从电视机里传了出来："看见了吗？行星朝着地球冲过来了！据专家估计，行星的体积和地球的体积非常相近！"

  再见了，拖拉

电视里出现了长得坑坑洼洼的行星横穿宇宙空间的场景。行星沿着轨道运行时拖着长长的尾巴很像蝌蚪在水里游动的样子。

观众席上坐满了观众。主持人以沉重的语气继续叙说着："据说行星的时速是38000千米。如果以这个速度来预测，它与地球撞击的时间是4月5日上午8点23分，也就是24小时后的这个时候！亲爱的全国人民，再过一天行星就要来撞击我们的地球啦！"

从电视机里传来了干扰画面的杂音，画面正要消失，一瞬间它又重新模糊地出现在了电视机上。

"撞击的瞬间，人类就会立刻灭亡！世界末日快要降临了，现在地球村陷入了一片混乱当中。这是地球村的最后一场现场直播，我们来了解一下外面的情况吧。周记者！"

电视机里出现了宽阔的广场。

"我是现场的周记者。现在这里发生了一件非常离奇的事情！"

广场上站满了形形色色的人，有祈祷的人、拥抱在一起的人、唱歌的人、演讲的人，还有光着脚走路的人……

"周记者,那个赤裸着身体跳舞的人好面熟啊!"

"是的,那是现在最红的人气偶像奇仁。据说她最大的心愿就是把自己的一切隐私脱掉,然后在歌迷粉丝面前演出。"

"嗨,但是没有人在看她的表演。等一下,周记者!她的身体好奇怪!"主持人的声音变大了。

"天哪!奇仁不是女人,而是男人!"

"什,什么!原来是个男人!奇仁怎么可以欺骗观众?"

"奇仁以前完全是靠化妆的。"

说话间,无数张红色的纸币像雪一样从天空中飘落下来,落在地上。

"天上掉钱啦!这是多少钱啊?"

红色的纸币像秋天的落叶一样堆积起来。一阵风把钱吹得到处都是,弄得路上乱糟糟的。

"周记者,这是从哪里掉下来的钱?"

"好像是从大厦的天台上面掉下来的。如果是以前,捡钱的人一定会很多,也一定会发生街道大混乱

的现象,但是现在居然没有一个人捡钱。"

人们竟然皱着眉头,很不耐烦地拿掉了落在头上的纸币。

镜头里出现了一位秃头老爷爷。他坐在大厦的天台上,正在把一大堆的钱一张张地撒向天空。

"哇!那位不就是超级吝啬的大富豪董事长吗?我要去采访他。"

周记者把麦克风拿到超级吝啬的董事长面前问道:"你这是在干什么?"

超级吝啬的董事长一边擦汗,一边喘着气说:"这可是我攒了一辈子的血汗钱啊。我从没捐过一分钱,但是现在这些钱都变成了没有用的废纸。如果有谁可以给我一年的时间,不!哪怕是一个月,我也愿意把自己的全部财产送给他!"

超级吝啬的董事长像小孩子一样,坐在地上号啕大哭起来。

"在这个世上不仅用金钱买不到,而且用人气偶像的人气也得不到的东西就是时间。我深深地体会到了时间的重要性。呜呜呜呜!"这时周记者也瘫坐

在地上，开始哭了起来。

主持人看到周记者哭了，也用哭腔说道："观众朋友们，不到最后时刻我们绝不能放弃。希望大家不要自暴自弃，尽自己最大的努力，活到生命的最后一刻。现在我将拨通一个电话。"

丁零零，丁零零，丁零零零！

刺耳的铃声响了起来。

"喂，你好。"电话里传来了女孩清脆的声音。

"现在是地球村的最后一场现场直播。这里是NBS电视台，我们希望这个节目能给大家带来一点勇气和重生的希望。对不起打扰了，请做一下自我介绍吧。"

"我是……向天小学……五年级三班……马明月。"女孩含含糊糊地说。

"哦，原来是个小学生。明月小朋友，现在离世界末日还剩下22小时55分42秒。宝贵的时间正在一点点流逝着，此时此刻，明月小朋友你在干什么？"

听了主持人的提问，女孩不耐烦地叹了口气。

接着，她沉默了一会儿说道："……我在睡觉。"

一瞬间，主持人摆出了一副非常惊讶的表情："什么？"

"睡觉。你们吵醒我了。"

"啊，是嘛，原来是这样。这个我们可以理解。可现在是非常时刻，明月小朋友，快点起床，好好利用这所剩无几的时间做点什么吧。你会做点什么呢？"

"做点什么呢？"明月重复了一遍说。

"我是在问你有没有特别的计划。"

"你是说计划吗？我没有计划。我原来就特别讨厌计划之类的东西。我以前制订过计划表，但一次也没有按照计划表生活过。制订什么计划，多麻烦啊！"

"明月小朋友，离世界末日的时间已所剩无几啦……"

"叔叔，我现在很困。我要睡觉了。"

听到这段话的主持人紧闭起双眼，好一会儿才睁开了眼睛，一副好不容易才使愤怒的心情平静下来的表情。

"观众朋友们，明月小朋友一定是受了什么刺激，请大家多多见谅。明月小朋友，现在没有多少时间

了。这个世界上最珍贵的东西就是时间，你不能再睡觉了。"主持人像从电视机里跳了出来似的，声音突然变得很响。

"珍贵什么，我的时间很多啦。"明月打着哈欠说。

突然，超级杳杳的董事长把头伸到了镜头前："明月，起床！看到这些钱了吗？时间是用金钱也买不到的。快点起床！"

"不要！昨天玩游戏玩到半夜，困死我了。我的头好痛，我要睡觉啦！我的外号可是太平公主，不管发生什么事情我都不会担心，不会着急。管他什么行星撞击，什么世界末日的，都不关我的事。我就是要

睡觉！"

"天啊！"

不管是镜头里的记者和秃头爷爷，还是现场的主持人都被吓得哑口无言。

明月用枕头捂住自己的耳朵，自言自语地说："……是，我都懂，这是梦。"

"梦？"主持人和超级客膏的董事长，还有周记者都异口同声地问。

"这是我从小妈妈一直不断讲的故事，没用的。哼！"明月堵住了耳朵。

这时台下的观众一边说着"被发现了啦"，"走吧，我就知道会失败"，一边站起来走了出去。

紧接着，最后登场的是现在最红的人气偶像奇仁。奇仁是明月最喜欢的明星。

"明月最乖，已经8点了。今天不会又迟到吧？老师会很凶哟。"奇仁用甜美的声音对明月悄悄说。

"嗯，奇仁姐姐！不，哥哥！5分钟，就5分钟！"

明月拽着被子,像蚕一样把自己包了起来。

突然,爸爸沙哑的声音在房间里响了起来:"你要从床上掉下来啦!"

咚!

"哎呀!"

"明月掉下来啦!"

咚!

"哎呀呀!"明月大声惨叫起来,她感觉有好多颗星星在眼前转来转去似的,"马明辉,你给我下来!爸爸,我要死了!"

爸爸和明辉压在明月的背上,高兴地笑着说:"起来啦,迟到大王,懒蛋包子太平公主,明月!"

力气大的爸爸把明月夹在腰间站了起来。

"明月要死啦!我要死啦!"明月想支开爸爸的手,但怎么也支不开爸爸的大手。

明月的一天就这样开始了。

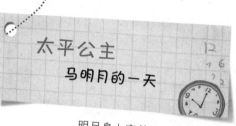

太平公主

马明月的一天

明月身上穿的连衣裙脏兮兮的，
外套也皱得不成样子了。

嘀嘀，嘀嘀，呜呜呜！

摩托车出发了。

"爸爸，加速！加到最快的速度！冲啊！"坐在摩托车后面的明月喊了起来，她像骑马似的拍打着爸爸的肩膀。弟弟明辉戴着灰色的头盔，安静地坐在摩托车的前面。

上学的路上减速地段特别多，每每经过减速地段时，摩托车都会上下震荡。别的孩子可能都已经到校了,因为校门口前,人特别少。

"把我们送到教学楼门口,冲啊!"

摩托车穿过校门口,停在了教学楼入口处。其实,明月更希望能被送到教室门口的走廊里。明月把脱掉的头盔扔给爸爸后,马上从教学楼门口跑了进去。

"姐,一起走!"弟弟明辉在后面喊着,但是明月看都没看弟弟一眼就自己跑上楼去了。

校长在远处看到了明月的爸爸送他们上学的一幕。

教室门一开,老师和同学们的眼神一同交集在明月的身上。

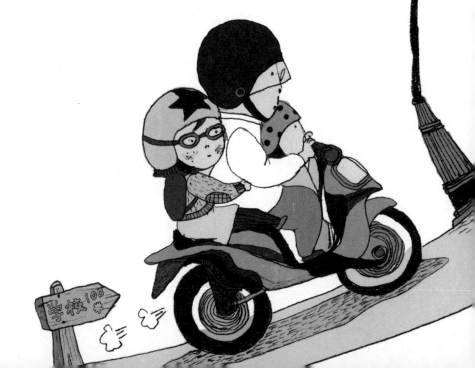

"你又迟到？"班主任生气地说。班主任今天说话的语气尤其严厉。

明月还真不愧是太平公主，看到班主任严肃的样子也不会胆怯害怕。她眼珠一转，马上想到要怎么跟班主任解释今天迟到的原因："行星将撞击地球，世界末日将要……"

"世界末日？"班主任上下打量了一下明月说，"找不到理由，连世界末日都出来了？呵呵，也是，你的样子就像快被灭了似的，从头到脚没有一处是正常的。"

"哇哈哈哈！"听到这段话的同学们突然开怀大笑起来。

明月这才看了一下自己身上的衣服。她身上穿的连衣裙脏兮兮的，外套也皱得不成样子了，而且她还穿着明辉的漫画式拖鞋。头发就更不用说了，已经乱得快成鸟巢了。

班主任说得没错。如果有人说她是逃难过来的，也不会没人信啦。

但是，马明月一点都不觉得丢脸，她只是一味地想着该怎样拯救现在的自己，想得头都快要爆炸了。

突然，咚咚咚！

有人在敲门，原来是校长。

校长和班主任小声地说着什么。这时，明月已经悄悄地避开班主任的视线回到了自己的座位，她还以为今天就要蒙混过关了，但是班主任表情更加严肃了。

"对不起。我会提醒她的，以后不会再有这种事情了。"班主任向校长低头认错说。接着，班主任一边听着校长说话，一边不断地点头示意。最后，校长转过身看了一眼明月才走出教室。

"马明月，你今天坐什么车来上的学？"班主任控制住自己的情绪问明月。

"摩……摩托车。"

"摩托车？哇！"同学们看着明月异口同声地惊呼。

"学校规定父母不可以开车送你们上学，更不可以骑摩托车送你们上学。每次开班会时校长都会再三强调的这个问题，你没有忘记吧？"

"……是。"明月的声音越来越小了。

"你居然还敢坐摩托车上学？摩托车那么大的噪音，你还开到教学楼门口？你是送外卖的吗？"

"对不起，老师。太晚了，所以我就……"明月知道，这个时候要满怀歉意地认错才是最好的方法，所以，她以最可怜的样子低声地回答了老师的责问。

突然，班主任气得像沸腾的水壶一样，耳朵里仿佛要冒出水蒸气似的。

"忍，我忍吧。优秀的教育家是不可以发火的，就像老师我一样！"老师一边说着，一边紧紧地闭上了眼睛。

"同学们，我们开始上课吧。"老师勉强笑着说。

"好。"同学们纷纷把课本和笔记本从书包里拿出来放在了课桌上，但是明月在书包里找了半天也没有找到课本。

"马明月，你怎么没有课本？"班主任再次将视线投向了明月。

明月这才想起来："啊！我把课本放在寄存箱里了。"

（寄存箱是在教室里存放学生试卷、衣物的地方，类似于超市里的寄存箱。）

"我不是说过，课本每天都要随身带着吗？我已

  再见了，拖拉

经提醒你有一百次了吧！你把课本放在寄存箱里，回家用什么写作业，用什么复习呢？"班主任再次皱起眉头，无奈地对明月说。

明月走到寄存箱前，把寄存箱的门打开，里面放着一个月前的试卷、上一周的作业、美术课需要的材料，还有臭味熏天的运动服。这些东西在箱子里凌乱不堪地混杂在一起。

"完全是个垃圾桶！乱死啦。"坐在寄存箱旁的才

虎吐着舌头说。明月怕被班主任看到这个状况，马上瞪了才虎一眼。

明月开始翻找语文课本，但是找了半天也没有找到。

噼里啪啦！

突然，寄存箱里的东西全都掉了下来，有笔记本、课本、三角尺、铅笔、彩纸、颜料，等等。

"啊啊……马明月！你今天是在考验我的耐性吗？"班主任握住拳头，气急败坏地说。她现在的表情像马上要爆发的定时炸弹一样恐怖。

明月像乌龟一样缩起了脖子。这个时候头脑要绝对的冷静，但动作要绝对的灵敏，这样应该就会没事的。

明月用脚把东西大概往旁边推了一下，就马上回到了自己的座位，然后像犯了滔天大罪的犯人一样，无力地低下了头："装可怜，装可怜就会没事。对了！这个时候能哭就好了。昨天晚上看电视剧的时候，我还哭得稀里哗啦的！"

可是，明月怎么挤也挤不出眼泪来，就偷偷地用沾了唾沫的手揉了一下自己的眼睛。这一幕正好被

  再见了，拖拉

民吉看到了。

"呜呜……呜！"明月开始哭泣，开始秀起装哭的演技。

"老师，马明月哭了！"民吉对老师说。明月突然特别感谢民吉，觉得他今天尤其可爱。

"呜呜……呜呜！嗯嗯……嗯！"明月哭得更大声了，居然还用手拍起了桌子。

老师深深地叹了一口气说："马明月，我任教三十年，像你这样的孩子我还是第一次看到。你还没有开始上课，就已经犯了六项错误！迟到，着装不整，坐摩托车上学，上学穿拖鞋，没有整理寄存箱，还加上妨碍老师上课！"

班主任的声音变得越来越大。她再次深吸一口气，压住心中的怒气说："优秀的教育家是不可以发火的，就像老师我一样！"

"呼！"明月跟着老师放心地叹了一口气。

"但是看着你犯错不管也不是优秀的教育家该做的事情。"

"啊？"

"明月，你从今天开始负责打扫厕所的卫生吧。希望你以改正自己错误的态度，认真打扫卫生。你给我把厕所打扫得干干净净，我要非常非常干净！知道吗？"

"到……到什么时候？"明月看着老师的眼睛，小心翼翼地问。

"一个月。"

"哇！"同学们同时喊了起来，紧接着他们用同情的目光望着明月。

"呜呜……呜呜！呜！"明月又开始哭了起来。这次，她是真哭了，哪怕是身为太平公主的马明月也承受不了这么大的打击。

下课了，同学们都回家了。学校变得很安静。

这时，明月戴着手套跪在马桶前面刷着马桶。

"唉！都怪世界末日的梦！"明月用马桶刷拼命地刷着马桶说。

"马明月！干得怎么样？"安娜和娜娜从厕所门口探进头来。

原来是双胞胎姐妹安娜和娜娜，她们俩长得非常像，如果不仔细看，根本就分不清谁是姐姐，谁是妹妹。

　　安娜和娜娜经常像大人一样，戴着项链和耳环上学。而且，她们每次戴的款式都不一样。

　　"如果是你们，你们会怎么样？"明月拿着马桶刷更加用力地刷着马桶，"哼，谁上厕所上得这么脏！你们怎么还不走？你们又不会来帮我的忙。"

　　"天啊！像我们这样漂亮的孩子，怎么可以刷马桶呢？""真是的！刷马桶是只有像你这样，一下子犯六个错误的特别学生才干的事情。"安娜和娜娜以嘲笑的语气说。

　　"如果你们是来气我的，就赶紧给我走开。我很忙。"

　　"那就这样吧。我们也很忙，我们要做的事情可多啦。娜娜，我们走，我们还得去学校的广播台面试呢。"

　　明月好奇地问："面试？你们要当歌手吗？"

　　"不是歌手，是主持人。以美丽的面孔和清脆的声音得到全校学生喜爱的主持人！"安娜摆出一脸陶醉的表情，像朗读课文一样叙说着。

　　"你们要当主持人？"明月露出难以置信的表情

问道。

"你不知道吗？这几天，NBS广播台，也就是我们学校广播台正招新呢。"

"NBS广播台？"金黄色的NBS三个字母在明月的脑子里一闪而过。

"NBS"是"向天小学广播台"的代称。在一楼楼道中间位置的广播台前面，赫然贴着金黄色的NBS三个字母。

NBS广播台是把学校发生的大大小小事件，通过各教室的电视机或者广播传播给全校师生的地方。NBS广播台有时会采访校长，有时还会在运动会或者体验学习的活动中拿着摄像机拍摄现场。

虽然是同龄的孩子，但大家每次看到镜头里主持节目的主持人都感觉十分羡慕。这时连太平公主明月也开始动心了。

"我们是第一个去报名的。现在排队的人可多啦。""马明月，你真可怜，怎么办呢？我们拿着麦克风的时候，你却要在这里抱着马桶。"安娜和娜娜一脸坏笑地说。

"你们，幸灾乐祸的坏家伙们。我才不管你们要参加什么广播台还是放屁台呢，随你们的便！"明月刚说完就举起了马桶刷。

"啊！我有解救你的好办法了。"娜娜突然一边鼓掌一边说。

"什么办法？"明月和安娜同时问娜娜。

"就是你也报名参加广播台的招新活动。学校广播台每天下午下课后都会开会讨论广播主题和内容，比起扫厕所，学校广播台的事情更重要好不好。只要你成为学校广播台的成员，班主任应该就不会再让你扫厕所了吧。"

明月瞪大了双眼。

这时安娜摇着头说："什么，这像话吗？明月怎么进得了学校广播台呢？听说面试可难了，还有笔试呢，连我们也不一定能通过。"

一听到需要考试，明月就更加没有信心了。不管是什么事情，太平公主明月一般是不会害怕的，但提到"考试"这两个字，明月就不得不害怕了。

"是啊，安娜加油。""嗯，娜娜加油。"安娜和娜娜互相鼓励对方说。

明月再次跪在马桶的旁边。

"马桶啊，马桶！你怎么就成了马桶，我怎么就成了刷你的人呢？马桶啊，马桶！你算是幸运的马桶，因为有我这样漂亮的女孩在刷你。马桶啊，马桶！我们现在开始做朋友吧。一想到一个月都要刷你，我就心痛啊！呜呜。"明月用抹布抹着地板，像唱歌一样唱着说。这时，从走廊里传来了脚步声。

听到脚步声的明月，马上拿起马桶刷用力刷起马桶来，因为班主任来检查的时间到了。

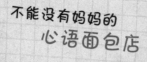

不能没有妈妈的
心语面包店

没有妈妈的日子给明月的家人带来了许多不便。不管是吃还是穿，家里没有一件事情让明月一家人顺心的。

"我回来了。"明月打开面包店的门,喊了起来。

丁零丁零,挂在门上的门铃响了起来。

"欢迎光……"受到惊吓的爸爸从椅子上站起来说。

"爸爸你又睡觉啦?"

爸爸看到是明月,失望地叹了一口气。

"今天又没人买面包?"

爸爸有气无力地坐回椅子上,已经懒得回答明月的问题了。

明月的父母开了一间叫"心语"的面包店。虽然不是一间既高档又宽敞的店铺，但毕竟在这条街上经营了十年，回头客还是很多的。

最起码食材和味道方面是不会输给任何一家大型连锁面包店的。店里的奶油面包、巧克力面包、蔬菜面包、牛奶面包、奶油蛋糕等众多品种都是爸爸妈妈亲手做的。

早上妈妈烤面包时，面包的香味会让整个屋子充满幸福的味道，这味道把经过店铺的顾客都吸引住了。

但这已经是一个月前的事情了。不知从什么时候开始买面包的顾客越来越少了，现在一天最多也就一两位顾客来买面包。

"你今天怎么回来得这么晚？在学校有什么事情吗？"爸爸打着哈欠问。

明月实在不好意思说是因为被老师罚扫厕所才晚回家的，就随便找了一个借口。

"班主任让我做了点事情。我们班主任最喜欢我了。"明月耸着肩膀回答说。

爸爸仍旧没有心思听明月的回答，他只是摆出一脸担心的表情，呆呆地望着门外。

丁零丁零！

伴随着铃声，明辉走了进来，他一进来就把书包放到了桌子上。

"姐姐，培优班老师让我问你为什么没去上课。"

"嘘！"明月怕爸爸听到，马上捂住了弟弟的嘴巴。

这时，电话铃声响起来了，是妈妈。

"马明月！你今天为什么没去培优班上课？"妈妈大声喊叫起来，她的责骂声把明月的耳朵都要震掉了。

"没，是因为班主任有事找我……"

"有事？我已经给你们班主任打过电话了。她说你每天都迟到，所以她不是罚你扫厕所了吗？真是的，你太不像话了！你已经都五年级了，怎么还是这副模样，对什么事情都无所谓！"

"……"

"上周培优班的课，你就逃了三次！不管是学校的老师还是培优班的老师，妈妈我真是没脸见他们了。你去培优班上课之前把没有学过的单词写十遍，

然后明天带过去。你再给我逃课，就别想上学了，我也不再管你了。你随便吧！"

"妈妈，其实……"没等明月说完，妈妈就挂断了电话。明月无精打采地低下了头。

明月突然感到特别伤心。伤心不是因为被妈妈批评，而是她觉得非常对不起妈妈。

明月的妈妈一个月前突然晕倒了，所以现在住在首尔的一家医院里。妈妈住院没几天脸就消瘦了很多。爸爸说要在医院陪着妈妈，但妈妈执意要爸爸回家照顾明月姐弟俩和家里的面包店。

"明月和明辉怎么办？他们不上课吗？再说还要做面包店的生意呢。哪怕一天不做生意，顾客也会不喜欢我们面包店的。你不是知道我很在乎这吗？医院的这点事情，我自己可以搞定。"

接着，妈妈握住明月的手再三嘱咐说："你一定要按时去上培优班，不要迟到，还有要多多照顾弟弟，知道了吗？妈妈不在，你也会做得很好，对吧？你都已经十二岁了。"

明月点头答应了妈妈，但她心里其实很担心自己到底能不能遵守这个约定。

爸爸、明月和明辉都很不忍心把妈妈一个人丢在医院里，但他们还是迈着沉重的步子回了家。回家的路上，明月和明辉一直哭个不停，弄得爸爸不知所措。

没有妈妈的日子给明月的家人带来了许多不便。不管是吃还是穿，家里没有一件事情让明月一家人顺心的。爸爸也想像妈妈一样照顾明月和明辉，但是面包店和家务事已经让他忙得不可开交了。没过几天，妈妈不在的事情顾客也知道了，因为他们说面包的味道变了，这可能也是顾客变少的原因之一吧。

"妈妈生气了？"明辉眨巴着大眼睛问道，他的表情像马上要哭出来似的。

"没事的。妈妈偶尔发发脾气解解压是正常的。她一直待在医院多闷啊，是吧？"

"切，是姐姐让妈妈伤心的！因为姐姐，妈妈的病变得更严重了怎么办？"明辉嘟着嘴巴带着哭腔说。

这时，爸爸抱起明辉说："让妈妈开心，妈妈的病就会好得快一些哟。压力对妈妈的病是不利的。这不，爸爸连店里顾客变少的事情都没有告诉妈妈嘛，当然你们也不能说。现在我们只能说些让妈妈高兴和开心的事情。"

"说什么？"

"……"

"……"

明月沉默了。爸爸和弟弟明辉也沉默了。

透过窗户，今天的街道看起来尤其凄凉。

"爸爸，我当主持人怎么样？"晚上，吃着水果的明月突然问爸爸。

"主持人？"

"嗯。我们学校的广播台招主持人，学生上了五

  再见了，拖拉

年级就可以报名了。"

　　"出现在教室的大电视机里的？
拿着麦克风说话的？姐姐要当主持
人？天啊！"明辉用惊讶的表情看
着明月说。

　　爸爸说："你妈妈以前的梦想也
是当主持人，她读书期间可一直是
学校里的主持人呢。"

　　"真的？"

"怪不得妈妈的声音那么好听。"

"以前，你妈妈的外号是黄莺。从小学、中学、高中到大学，她一直都是学校广播台的主持人。爸爸上大学的时候，妈妈是午间音乐广播的播音员。"爸爸像做梦一样回忆着大学生活，"我觉得那位播音员的声音可好听了，既清脆又柔和……爸爸我每天都会坐在草坪上听她柔美的声音，后来实在太想认识那个播音员了，就去播音室找她去了，那个播音员就是……"

"妈妈！"明月和明辉异口同声回答说。

"是的，就是你们的妈妈。一开始爸爸是被妈妈的声音吸引住的，但后来看到妈妈的长相后就更被迷住了，你们的妈妈跟我想象的一样好看。从那个时候起，爸爸每天都会到播音室前面等你们的妈妈，就这样，等了一年之后我们就在一起了。"

"嘻嘻嘻，爸爸的恋爱史！好害羞。"明月用双手捂住自己的脸说，"但是妈妈后来为什么放弃了呢？"

"其实妈妈已经通过了电视台主持人的面试和笔试，她还是以第一名成绩被录取的呢！"

"真的吗？我们怎么什么都不知道？"明月和明

辉摆出一副惊讶的表情看着对方。

"是妈妈不想说。妈妈被电视台录取后就进了培训班，被录取的每个人都需要进行一段时间的训练才可以当一名主持人。但这时妈妈怀孕了，就是怀了你，明月。妈妈考虑了很久，考虑到底是要你还是圆她的梦，结果妈妈还是选择了你。"

明月被爸爸的话吓到了。

"是因为姐姐才放弃的。真是的，妈妈就不应该选择姐姐，那样妈妈该多帅啊。"

明月使劲地瞪了一下明辉。

"明月能当一名主持人，妈妈应该会很高兴的。这样你可以替妈妈实现梦想，当然不仅仅只是这样，也是为了实现你自己的梦想。"

明月点点头。

"但学校广播台不是那么容易就能进的，既要通过笔试，还要通过面试呢，因为报名的人实在太多了……"明月用不自信的语气吞吞吐吐地说。

"我以前听你妈妈说过这些，考试的形式我还是大概知道的。如果你报名参加，那么爸爸我就告诉你。"

"太棒了！爸爸，我可就靠您啦。哇，厕所再见！马桶再见！"明月举起双手喊了起来。

"马桶再见？那是什么？"

"没，什么都不是。爸爸，那就从现在开始吧！"

明月似乎已经当上了主持人一样，感觉是那么高兴，那么幸福。太阳落山了，心语面包店里的灯开始亮起来了。

写给明月的邮件

实现梦想的计划是什么呢?

明月,你从小就有很多梦想。但是最近你的梦想好像在慢慢地减少,那是因为你没有实现梦想的阶梯。

实现梦想必须要有实现梦想的阶梯,这阶梯会把你要做的事情一一整理出来,你只要沿着阶梯一个台阶一个台阶走上去就可以了。

那么,到底什么是实现梦想的阶梯呢?那就是计划。如果你的计划制订得好,你就会有又高又结实的阶梯。相反,如果你的计划制订得不好,那么你就会有又破又烂的阶梯。

要成为一名主持人需要提高哪些方面的能力呢?爸爸希望你不是一味地空想这些问题的答案,而是制订出一份既现实又具体的计划。只要你脚踏实地地执行计划,那么你就一定可以实现你梦寐以求的愿望。

实现计划的魔法笔记本

今天你为了实现梦想做了哪些努力呢?请根据自己的表现,认真地制订出实现梦想的计划吧。

SUN	MON	TUE	WED
		学校广播台面试	
	整理房间 		背诵英语单词

	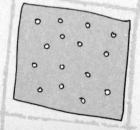		

珍惜时间

每一个人的时间都是相同的，
一天只有二十四个小时。
你能不能好好地利用时间，
将会决定你将来的成败。
现在，就请你开始珍惜时间吧！
因为流逝的时间
会永远和你无情地分别。

1. 英语培优班
2. 数学培优班

25 12个沙粒

这些细小的沙粒都代表着时间。时间就像沙漏里不停地穿过狭窄的管道流到底部的沙粒一样,也是不停地流逝的。

我亲爱的女儿明月:

　　我听爸爸说,你要参加学校广播台的面试了。妈妈我是既高兴又担心,因为妈妈知道,考主持人不仅笔试难,面试也难,而且主持人的工作也是特别辛苦的。

　　学校广播台的主持人早上要起早上学,下午下课后还要开会准备第二天的广播材料。主持人要自己采写严谨的播音稿件，还要经常练习朗读稿件以防止主持事故的发生。学校广播台的考试固然很难通过，但更难的是广播台的工作十分艰苦。妈妈很担心你怎样安排广播台的工作和学校及培优班的学习。

看到这里你可能会产生这样的想法：你想先试试，工作如果实在太繁重太辛苦，你就退出学校广播台，但这种想法是非常没有责任感的。

广播台可是有着共同理念和共同想法的人聚集在一起工作的地方。如果你为了自己无缘无故地退出学校的广播台，那么剩下的人该怎么办呢？他们还要完成退出的人的工作。与其给别的同学带来麻烦，还不如一开始就不要去参加。

我亲爱的女儿明月，你不仅是天天睡懒觉的迟到大王，还是经常忘记写作业的懒学生，再加上拖拖拉拉的性格，你得比别的同学更用心更努力才行。这样的你，能做好比别的同学要付出更多的学校广播台工作吗？希望你看到这些话不要太伤心，太失望。

如果你还要坚持参加学校广播台的工作，那

么，首先你要懂得珍惜时间。拖拖拉拉的人的共同点就是不懂得时间的重要性。你要赶快改掉浪费时间的习惯，不然，时间的流逝只会给你留下后悔的记忆。

希望你再认真考虑一下，看到这邮件你还会坚持参加吗？没有妈妈的帮助你能自己做好吗？

如果你可以挑战这些困难，坚持参加广播台主持人的考试，那么妈妈向你保证，一定把可以通过学校广播台考试的秘方传授给你。

"妈妈身体不好还写了这么长的邮件。这是什么时候写的？"读完邮件的明月不由得紧张起来。

明月比谁都了解自己的缺点。她很怕别人看到妈妈写的这封邮件，因为她觉得有点害羞。

这时，有人把手放到了明月的肩膀上，原来是爸爸。

"妈妈知道你要参加学校广播台的考试后，每天可担心了。"

"我知道，我只是觉得妈妈不了解我的心。妈妈不是也在学校广播台待过的嘛。"明月摆出一脸苦闷的表情说。

"妈妈也不是绝对地反对，决定权还是在你这里的。"爸爸的表情很坦然。

"那么爸爸的想法呢？还有我能做好广播台的工作吗？"明月有气无力地问道。

爸爸坐在沙发上问："你的想法是什么呢？"

"我只是觉得时间有点紧。我不仅要去培优班上课，还要回家学习。再说，我一次也没有遵守过假期的生活计划表。爸爸您应该也知道我的性格吧，我对什么事情都是不管不问没有兴趣的，我可是太平公主。呼！"明月耸起肩膀长长地叹了一口气。

"所以，你得更加努力啦。"爸爸突然站起来，简单明了地说。

"更加努力？"明月摆出好奇的表情问爸爸。

"妈妈不是说过了吗？去广播台工作的首要条件就是懂得珍惜时间。"

"……嗯。"

"所以你不仅要珍惜时间，还要合理安排时间。如

果你以后能不浪费一分半秒的时间，那么别说是主持人了，就是再难的事情说不定也能做好呢。还记得妈妈说过的那些话吗？假如明天就是世界末日，你会怎样制订今天的生活计划？"

"当然记得。妈妈让我珍惜时间的意思是让我珍惜每一分每一秒的时间，还让我以节约时间的心态生活。但是，爸爸！"明月突然站起来把椅子拉到爸爸面前。

然后她坐回椅子上，把自己内心深处的想法全部说了出来："我们的生活并不是只有最后一天时间。假如世界末日真的来了，我肯定也不会像现在这样浪

费时间啦。但是现在多的不就是时间吗？不是吗？所以我们不需要特别努力节约时间吧。对我来说剩余的时间可多了，一想到那些时间我就感觉无聊死了，都不知道要干什么。"

爸爸的表情突然变得很严肃："你做不到有计划地生活，那是因为你还不懂得时间的重要性。流逝的时间是再也不会回来的，现在这个瞬间也就只存在于这个时刻。"

"我知道，但是时间还是会有的啊。"

爸爸轻轻地摇着头说："你刚才说，我们现在的生活并不是最后一天？但是爸爸的想法正好和你相反，今天就是最后一个今天，明天再也不可能有今天了。"

"你是说我们每天都要永远地告别'今天'吗？"明月惊奇地瞪大眼睛看着爸爸说。

"要我告诉你为什么吗？"爸爸边说边在客厅电视柜下面的抽屉里找着什么东西。过了一会儿，爸爸走到明月的面前，把一个小小的沙漏递给了她。

"这个怎么了？"明月皱着眉头，可爱地歪着脑袋问爸爸。

"明月，爸爸觉得每个人都是拿着属于自己的沙漏出生的。你也有个和我相同的沙漏吧？那你说说沙漏里这些细小的沙粒又是什么呢？"

明月静静地看着沙漏里的沙子。沙漏上面玻璃球中的沙粒正穿过狭窄的管道，一粒一粒不停地流入底部的玻璃球里面。

"这些细小的沙粒都代表着时间。时间就像沙漏里不停地穿过狭窄的管道流到底部的沙粒一样，也是不停地流逝的。堆积在沙漏底部玻璃球中的这些沙粒，也就是这些时间都属于已经过去的时间，这些时间是永远也找不回来的。"

这时明月点点头，好像开始懂得了爸爸把沙漏拿出来的用意。

"假如我们能活到八十岁，一粒沙粒代表着一秒钟，那么我们的沙漏里约有25亿（2,522,880,000）个沙粒。"

"25亿个？怎么那么多！"

看到明月惊讶的表情，爸爸微笑着说："看起来很多吧？但是就在现在这个瞬间，沙粒还是不断流着，

这说明我们的生命正在不断地缩短。一分钟是 60 个沙粒, 一天就是 86400 个沙粒, 流失掉的沙粒将会永远和你无情地分别, 永远消失哟。"

"啊! 沙粒都流失没了, 那么结果不就……"明月的声音开始变得沉重了。

"是的。就像沙漏里的沙粒总有一天会流完一样, 人总有一天也是会死的, 没有一个人可以长生不老。但是人很奇怪, 明明知道自己难逃一死, 还是不管不顾地浪费时间, 还是会说'明天再说吧', '以后再说吧'这类的话。我们拥有的时间不是永久的时间, 总有一天我们会用完它, 那个时刻就是人生的最后瞬间。"

爸爸说话的这段时间里, 沙漏里的沙粒仍然不断地向下流着。明月的时间在不停地流逝, 同时明月离最后的时间也越来越近。

明月哭丧着脸望着爸爸说:"爸爸, 现在我的沙漏里剩下多少沙粒了? 已经回不来的消失掉的沙粒又是多少呢?"

"当然比爸爸的剩得多

啦。你现在剩下的沙粒比消失掉的沙粒多很多，放心吧。"

"我突然觉得很可惜。"

"过去就过去了，这是没有办法的，你也不要觉得可惜，以后努力珍惜时间就可以啦。"爸爸轻轻地拍打着明月的肩膀说。

明月突然觉得，假如自己拥有的时间也像沙漏一样能用肉眼看得到就好了。因为正如人们经常会忘记空气的重要性一样，人们也会经常忘记和忽略时间的重要性。

"我还是不懂如何合理安排时间。"

这时爸爸反问明月："你觉得怎么用钱才算合理呢？"

"钱？它可以用在吃喝玩上，还可以用在买衣服上，钱不就是为了用在这些地方而存在的吗？"

"嗯，是的。但是，如果把钱都用在吃喝玩还有买衣服上，那么再怎么有钱的人都会变成穷光蛋。正如会理财的人和不会理财的人对金钱有着不同的看法，会理财的人为了将来而投资金钱，成功者和失败者的时间观也是大不相同的，成功者为了将来而投资时间。"爸爸接着说道，"当然我也不是那种能够合理安排时间的人。虽然我懂得时间的重要性，但行动总是跟不上计划。妈妈不是经常说，你就是我的化身吗？她还说我是太平王子。明月，我们一起努力给妈妈一个惊喜吧。"

那天晚上，明月坐在电脑前给妈妈写了一封邮件。明月写邮件的那段时间里，沙漏里的沙粒仍旧不停地流逝着。她突然感觉到时间像流水一样，流逝得特别快，心里开始着急起来。

"明辉睡着了吗？"明月看了一下睡在下铺的明辉，他已经进入了梦乡，睡得特别香。

明月轻轻地掐着他的脸颊说："你这小子！还希望妈妈放弃生我？你就那么心疼妈妈没当成主持人吗？我一定会实现妈妈的梦想的。等着瞧吧！"

突然，明辉翻了一下身子。

啪！

"啊！"

明辉的手正好打在了明月的鼻子上。突然，黏糊糊的东西流了下来。

"哇！出血啦？"明月仔细观察了一下手上的液体。啊,原来是鼻涕。

"我不和你浪费时间了。真是的！"

在这个寂静的夜晚,明月已经懂得了时间的重要性,而这个属于明月的夜晚也在慢慢地流逝着。

写给妈妈的邮件

成功者如何合理安排时间?

妈妈,我是你最可爱的女儿明月。

爸爸说不会理财的人和会理财的人对金钱有着不同的看法,还说会理财的人是为了将来而投资金钱。比如说,为创办一个企业而投资或者为了增长知识投资学业等等。

爸爸又说时间就是金钱。正如会理财的人和不会理财的人的金钱观有所不同,成功者和失败者的时间观也是大不相同的。就像会理财的人为了将来投资金钱一样,成功者也是为了将来投资时间的。换句话说,成功者把时间投资在做那些帮助自己实现梦想的事情上。

最后,我把爸爸说的最有价值的话告诉您:

"珍惜现在的时间,灿烂的明天会向你挥手。
浪费现在的时间,残酷的明天会向你挥手。"

实现计划的魔法笔记本

请记下今天浪费时间的事情。找出浪费时间的原因,改掉这个坏习惯吧。

和妈妈的约定

"明月，大部分学校的广播台面试是朗读播音稿件。"
明月按照妈妈说的，开始了朗读儿童新闻的训练。

"结……结束了？怎么样？"明月气喘吁吁地跑
进了一楼走廊里。"呼呼"，明月轻轻地把嘴里的气吐
了出来。

同学们并排坐在 NBS 广播台走廊里的椅子上。
走廊里没有一个同学在打闹玩耍，更没有闲聊说话
的。看起来，他们都很紧张，有的同学连父母都来了。

安娜和娜娜这对双胞胎姐妹，身上穿着白净的衬
衫和漂亮的背带裙。虽然嘴上涂了点润唇膏，但她们

把平常戴的项链和耳环等首饰都摘掉了。

"马明月,你怎么才来?我们还以为你不来了!""你是不是怕别人不知道你是迟到大王,学校广播台面试你还迟到?"安娜和娜娜一唱一和地对明月说。

"呼呼,我刚刚才搞完厕所的卫生。为了找班主任来检查卫生,我都已经绕着这栋楼跑了一圈啦。呼呼,结束还是没结束?"

"切,面试前你就会得心脏病死翘翘了。"

这时,有人从广播台的演播室里探出头来叫了一声:"五年级三班马明月!"

"到!"明月大声答应着快速走了进去。

明月被带进了演播室。站在演播室里,明月可以透过大大的玻璃窗看到六年级的广播台前辈和广播台老师,他们正严肃地审视着她。明月感觉自己好像变成了实验室里的小白鼠似的。

"呼呼!这就让我紧张啦?我可是大名鼎鼎的太平公主马明月!"明月深深地吸了一口气,在心里安慰自己说,但是她的四肢根本不听使唤,一直不停地发抖,而且抖得越来越厉害了。

"马明月同学，你看到书桌上的纸了吗？"这时音箱里传来了老师的声音。刚刚说话的老师戴着一副红色镜框的眼镜，身材还有些微胖，但声音却很干净很清脆："请你像主持人一样把那张纸上的内容朗读一遍，这就是广播台的面试内容。"

明月大致扫了一遍整个内容。

"哇！这个就是……"

明月瞪大眼睛注视着考试的内容，妈妈说对了！这时她感到特别惊喜，嘴角扬起了浅浅的微笑。

"明月，大部分学校的广播台面试就是朗读播音稿件。妈妈听别人说，小学的广播台面试也主要是朗读，朗读'儿童新闻'的内容。你只要以正确的发音清清楚楚地、

准确无误地朗读就可以啦。还有千万不要忘记，偶尔要摆出自信的表情看着摄像头微笑，懂吗？"

考试前明月按照妈妈说的，开始了朗读"儿童新闻"的训练。爸爸看着努力练习的明月，给她出了个好主意。爸爸说练习的时候可以把店里的豆沙面包、奶油面包、蔬菜面包当成听众，这样可以消除心里的恐惧感。

刚开始练习的时候，明月连一句话都读不好。但经过十遍、二十遍的练习后，明月已经可以读得很流畅很准确了。

"马明月同学，准备好了吗？"

"嗯！"明月抬头挺胸看着摄像机笑了一下。看到明月表情的六年级前辈都咯咯笑了起来，因为明月的表情看起来有点不自然。

明月和往常练习时一样，用正确的发音清清楚楚地朗读着。慢慢地，明月颤抖的声音也开始变得清晰起来。

"怎么样？你读得怎么样？老师严肃吗？你看到

台长哥哥了吗？我读的时候可是一个字也看不清。哇，那气氛没说的啦！"明月一打开广播台的门，安娜和娜娜就围着明月问起来。两个人你一言我一语，一直不停地问。

明月回答说："好晕。"

"会有那种感觉的。明月你不是连课文也读不好的吗？你该多紧张啊！理解，我们理解。你可不要太失望哟，做不了主持人又能怎么样？"安娜和娜娜一边说着，一边用同情的目光看着明月。

突然，明月皱着眉头喊了起来："不是考试弄得我头晕，而是因为你们。你们一直说说说的，弄得我的头好晕啦！"

安娜和娜娜吓得向后退了一步。

"笔试马上就要开始了，考试地点是一年级二班。你们快点跟我来吧。"

明月迈着轻松而自信的步伐向一年级二班走去，安娜和娜娜用很奇怪的眼神望着明月自信的背影。

"接下来需要大家写一则播音稿件。请你们假设自己已经成为了主持人，尽情地靠自己的想象写一则播音稿件，字数不限。"广播台老师一边给同学们发纸，一边对同学们说。

"我的天！"同学们纷纷叹着气说，可能之前没有预想到要写什么文章吧。

这次明月再次惊奇地瞪大了眼睛，因为妈妈又说对了。

趁着同学们绞尽脑汁、费尽心思地想着该怎样写的时候，明月已经开始轻松地写起来了。因为经常和爸爸一起练习写文章，所以这对明月来说不是什么特别难的事情。明月用了不到二十分钟就已经把整张纸写满了。

"我写完了，可以交卷出去了吗？"明月问监考老师说。瞬间，同学们都停住笔，一起看着明月。监考老师也以"这么快"的表情看着明月。

但是安娜和娜娜是以"放弃啦"、"真可怜"的同情眼神望着明月的。

当明月把已经写得满满的卷子交到监考老师手上时，监考老师再次认真地看了一下明月的脸。

第二天下午，同学们都围在NBS广播台门前，因为上面贴着广播台新学员的姓名，连没有参加考试的同学也纷纷来到广播台门前看新学员名单。

"通过了吗？""嗯，我通过啦！你也通过啦！我们都通过啦！"娜娜看着名单高兴地叫喊着说。安娜也高兴地跳了起来。

"哈哈哈哈！我就知道我一定会通过。"明月开怀大笑起来。从五名新学员的名单中可以清晰地看到"马明月"三个字。

"原来这就是通过的心情！我真的好高兴哟。"

"娜娜，我可能是第一名。看这儿！江安娜，江娜娜……我的名字在最上面，然后是你的名字。马明月的名字在倒数第二，她可能是勉强通过的。"安娜百感交集，眼睛开始湿润了。

"马明月，倒数第一又怎么样？通过就可以啦，你不要太失望。我们一起努力工作吧。"娜娜抓住明月的手安慰着说。

这时明月无奈地尖叫起来："哼，你们两个！这不是按照名字的字母顺序写的吗？"

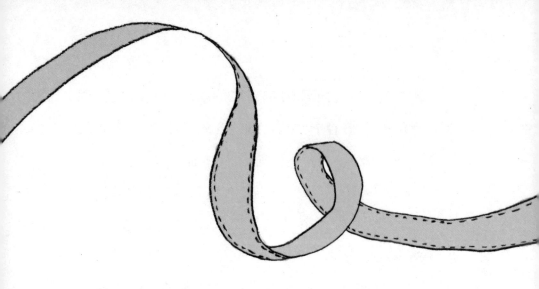

"啊！原……原来是这样。"安娜和娜娜勉强笑了
笑。

明月坐在运动场一旁的椅子上，给妈妈打了一通
电话。

"妈妈！我通过了。"

"祝贺你！你真不愧是我的女儿。"

妈妈的笑声听起来特别地高兴。

"但是妈妈，我还挺好奇的，妈妈您说的考试题型
都出了！您是怎么知道的呢？妈妈简直就是算命先
生！"

"呵呵，过了二十五年，广播台的考试题型还是没

  再见了，拖拉

变啊。"

"那是什么意思？"

"你不知道妈妈也是你们学校毕业的吗？妈妈原来也是学校广播台的学员啊。二十五年前，妈妈也考了相同的题型，但当时广播台招的是播音员。当时我们学校的广播台可有名了，曾在全国广播大赛中获过很多奖项。"

"啊，原来是这样！哈哈哈，我现在是妈妈的师妹了。"明月的脸上一直洋溢着笑容，好像笑容都舍不得离开她似的。

"但是明月，你懂妈妈的心吧？"突然妈妈的声音变得很诚恳。

"怎么了？你有什么担心的事情？"

"你没有忘记和妈妈的约定吧？妈妈已经履行了和你的约定，明月你也会履行和妈妈的约定，是吧？"

"是的，我当然会遵守约定，按照计划努力地生活啦！"明月信心十足地说。

"嗯，你要竭尽全力地做好学校广播台的工作。这份工作不仅需要你做很多准备，还需要你花费很多时间。妈妈真的很担心不在你身边，你一塌糊涂，什么都做不好怎么办。再加上你爸爸也和你一样是万事太平……你要认真上培优班的课，回家认真学习，还要多帮爸爸做点家务。知道了吗？"

"唉。"明月不知不觉地叹了一口气，但是她马上用手把自己的嘴捂住了。

"明月，我知道你以后会很累。虽然你现在不能马上把以前的坏习惯改掉，但还是有办法的。"

"办法？"

"那就是利用计划的力量。"

"切，计划有什么力量？妈妈也真是的。"明月嘟着嘴说。

"美国有个叫做彼得·德鲁克的管理学家，是'现代管理学之父'。他说：'计划是成功的前提，人生的成败取决于计划的制订和实现。'他告诉了我们计划的重要性。明月，没有计划的人一定不会成功，实现好计划的人一定不会失败。所以

现在对你来说最重要的,就是释放计划的力量。"

明月轻轻地点点头说:"请相信我——妈妈的女儿太平公主马明月吧!"

"嗯,以后妈妈会经常给你打电话,了解你的生活情况,你要做好心理准备哟。"妈妈的声音越来越没有力气了,她可能是打电话打累了。

"啊,真吓人!这样下去,妈妈会不会从电话里跳出来啊?"明月为了让妈妈开心,故意夸张地说道。

母女俩都幸福地笑了起来。明月的笑声响遍了整个运动场,整个天空,整个宇宙。

超级苛刻老师

如果你们有谁打算中途放弃，那现在就马上给我退出。反正，想报名参加的人还很多。

咚咚咚。

手指敲打书桌的声音打破了学校广播台工作室的寂静。

工作室里，明月和双胞胎姐妹安娜、娜娜，还有两名男同学围坐在一起，他们都是广播台的新学员。

明月和双胞胎姐妹安娜、娜娜申请的职位是主持人，另外两名男同学分别申请了摄影师和负责音响的音效师。他们都紧张地一动不动地坐在自己的位置上。

咚咚咚。

手指敲打书桌的声音再次响起来了。

老师好像有话要讲，但却一直低着头沉默不语。她一边思索着什么，一边不断地敲打着书桌。戴着红色镜框眼镜的这位老师今天看起来尤其严肃。

"欢迎你们成为 NBS 广播台的新成员。"老师以严肃的表情对同学们说，"我们学校是有着三十五年历史的重点小学，其中最有名的就是我们广播台了。这个地区的人应该都听说过这个广播台，它可以说是向天小学的象征。你们看到那些奖杯了吗？"

同学们顺着老师手指的方向转过头去。广播台工作室的后墙被一些大大小小的奖杯、奖状和奖牌装饰得特别气派。

"那些奖就是我们广播台这三十五年来的心血。你们可能不太知道，现在很多有名的主持人和明星都是我们学校毕业的。你们的前辈都是非常努力的人，他们都为曾是学校广播台成员而自豪。"

同学们回过头来看着老师，连连点头。老师注视着每一个同学的眼睛，用更加严厉的语气继续对大家说："这些都是靠不断努力得到的，如果你们不努力就会被淘汰。我们学校广播台的工作很繁重，不仅费时、费力，还很费脑。我想你们应该都听说过，中途放弃广播台工作的同学很多。你们既然选择了学校广播台的工作，那么不管遇到什么事情都要勇敢面对，认真完成任务。这里不是你们的游乐场，而是我们学校最神圣的校园广播台，我们要把最新的校园新闻传播给学校的每位老师和同学。还有记住，我们是活跃学校气氛的中心。知道了吗？"

广播台工作室里回荡着老师尖锐的声音，明月觉得奇怪，玻璃竟然没有被老师尖锐的声音震碎。

"你们每天早上 7 点 40 分在广播台工作室做早间校园广播的准备，每周的星期二和星期四要开会讨论节目的主题和方案。你们是新学员，所以需要学习的东西很多，比如学习工作室里一些机器设备的使用方法和采写播音稿件，练习发音和朗读等，时间就初步定在星期一、三、五的下午 3 点。还有一周至少交一份播音稿件！我会让我校的广播台成为最优秀的校园广播台，所以你们也要努力成为最优秀的主持人、摄影师和音效师，知道了吗？"

"……知道了。"同学们勉强回答说。

这时，压力像大石头一样压在了明月的胸口上。

"你们的声音越来越小了，这种气势能够成为最优秀的人吗？你们到底有没有信心？"

"有！"同学们大声回答说。

"今天的会就开到这里，明天我们一起努力吧！"

老师一站起来，同学们也接二连三地从自己座位上站了起来。走到门口的老师突然转过身来说："对了！如果你们有谁打算中途放弃，那现在就马上给我退出。反正，想报名参加的人还很多。再就是不要对我说'我很忙，没时间，要去培优班上课，妈妈怎么怎么样'之类的话，这些对我来说都只是你们的借口。假如你们没有时间，可以制订一份计划表，然后努力实现计划就一定可以完成任务。六年级广播台前辈也都是这样做的，他们不仅学习成绩优秀，而且广播台工作也做得特别好。"

说完，老师转身开门走出了广播台的工作室。

  再见了，拖拉

"哇！我都快憋死了，被吓得都不能好好呼吸了。呼呼,呼呼。"娜娜趴在书桌上喘着气说。

"快来扶扶我，我都动不了了。你们看到我额头上的汗水了吗？我的身体僵硬得都快动不了了。"安娜舒展着身体说。

男同学们也纷纷摇着头说:"这里简直就是军队！我们简直成了特警部队！早上7点40分就要到校，还有每周一、三、五要做播音训练,每周二、四要开会。那么，每天的行程岂不是很满？"

"真不愧是位超级苛刻老师！"

"超级苛刻老师？"同学们异口同声地问道。

"嗯！我听别人说,这位老师做事很认真很苛刻。工作时只要你出现失误，她就会立刻把你给炒了。学习成绩变差也会有相同的结果！"

"天啊！我们都死定了。"同学们都叹着气说。

"明月,你不去打扫厕所的卫生了吗？"安娜问明月。

"班主任老师说，我从今天开始不用做卫生了。虽然她到现在还怀疑我到底是不是真的通过了学校广

  再见了,拖拉

播台考试,但她还是让我以洗马桶的劲头竭尽全力做好广播台的工作。"

"对!我们说对了吧?我们可是你的救世主。"

"救世主?"

"是我们伸出援手,拯救了处在绝望中的你啊。你不谢谢我们吗?不高兴吗?是不是很轻松?"安娜和娜娜看着明月一唱一和地说。

"我早上7点多就要到校,晚上还不知道什么时候能回家,这就是你们拯救我的方式?你们再救一次,我可能早就累死啦!"明月全身无力地瘫在椅子上,无奈地对双胞胎姐妹说,"我做的决定是对还是错?我真想象不到以后的生活会怎么样,我感觉自己跳进了火坑里似的。"

"呼!"

"唉!"

三个人无可奈何地深深叹了一口气。

明月回到家,打开玄关门的同时一股酸臭味扑面而来。

"这是什么味道？"明月捂着鼻子走到客厅。

戴着耳机的明辉坐在电脑前，正聚精会神地玩着网络游戏。他玩得非常入神，连明月回来都不知道。

客厅像被炸弹轰炸了似的，简直比垃圾堆还要垃圾堆，什么枕头、被子、衣服，还有吃剩下的饼干和碗

筷都杂乱地堆积在客厅里。

"天啊,这简直就是垃圾堆。"

明月皱着眉头朝飘来酸臭味的厨房走了过去。厨房的情况比客厅还要严重,到处都是几天前吃剩下的食物。妈妈如果看到了,肯定会大发雷霆。

明月开始把发霉的食物装进垃圾袋里,但是很快她又不收拾了,因为要收拾的东西实在太多了。

"姐姐,你什么时候回来的?"明辉这才看到明月,"你又没去培优班上课?"

"糟了!"明月赶紧看了看手表,时间已经6点多了,培优班的课也应该早就结束了。

"假如我没有跟安娜和娜娜闲聊,肯定能赶上培优班的课!"

前几天刚刚和妈妈约定好要准时去培优班上课的,今天明月就失约了。

丁零零,丁零零!

电话的铃声响了。

"明月,你……你又逃课啦?"妈妈用尖锐的声音气急败坏地说。

"学校广播台开会,结束得晚,所以……"

"会议一结束,你就要马上跑去上课。谁让你慢慢腾腾?动作不能快一点?你不是已经答应妈妈要好好上培优班的课吗?这才过了几天,你就开始失约了?"妈妈的声音一点力气也没有,可能这几天她的身体又虚弱了。

"整理房间了吗?"

  再见了,拖拉

"……"

"晚饭呢？"

"……"

"学习呢？"

"……"

"怎么办，怎么办啊？你怎么就不担心，不着急呢？你怎么还是太平公主的样子？爸爸一个人在店里忙里忙外的，你既然帮不了爸爸，也不能给爸爸添乱吧，怎么也要把自己的事情处理好呀。"妈妈气喘吁吁地说，然后她沉默了一会儿。

"明月。"妈妈的声音变得很柔和。

"嗯。"

"妈妈知道，你什么都想做好，不仅想做好学校广播台的工作，而且也想好好学习提高成绩，再就是帮助爸爸做家务活，对吧？你很清楚你要做什么，但不知道怎么做，对吗？"

"……嗯。"

"妈妈对不起你。妈妈不能在你身边帮帮你，妈妈对不起你。"妈妈的声音有点哽咽了，明月的心也开始隐隐地作痛。

　　"没关系的，我只希望妈妈能快点康复。我自己可以做好的，您放心吧。"

　　"像现在这样，你绝对做不好任何事情。妈妈不

是说过吗？制订计划，按照计划生活。现在对你来说最重要的，既不是我也不是你爸爸，而是计划。"

"我也知道，但我不知道怎么制订计划。妈妈不能帮我制订一份计划表吗？我小学三年级的时候，妈妈不是帮我制订过一份计划表吗？"明月嘟囔着。

"是的。所以我之前还想帮你制订一份计划表来着，因为很多妈妈都是这样做的。"

"那您怎么还没有帮我制订一份呢？您认识安娜和娜娜吧？她们的妈妈就帮她们制订了一份计划表。还有明吉和玄珠，他们的妈妈不仅帮助他们确定和安排培优班上课的时间和学习的时间，还规定了玩的时间和看电视的时间。他们都是按照妈妈的指令行动的，我觉得这样挺好。"明月用埋怨的语气对妈妈说，也可能明月有点想妈妈了。

"唉。"妈妈轻轻地叹了一口气。

"明月，你不想变成大人吗？你想一直当一名小学生吗？"妈妈平静地问明月。

"我当然想快点变成大人啦，我最不喜欢别人说我是小孩子，妈妈您不是也知道吗？"

"那你觉得小孩和大人的区别是什么？"

明月很好奇妈妈为什么会突然问这个问题。

"大人可以赚钱，还可以晚睡晚起，再就是想干什么就干什么，很自由。最重要的就是大人不用上学，我是挺羡慕这一点的。"明月靠在沙发上一边打哈欠，一边拿着话筒说。

"明月，听听妈妈的意见吧。小孩和大人最根本的区别是大人可以自己独立完成自己的事情，这是小孩做不到的。如果你长大后也不能独立自主地生活，而是父母让你做什么就做什么，那你就不是真正的大人，而是年龄大的小孩吧。"

"哈哈！"明月突然从沙发上站了起来。

"你已经十二岁了，你人生的主人就是你，别人代替不了你的位置。如果你按照爸爸妈妈的计划生活，那么你人生的主人当然就是爸爸妈妈了。明月，不要觉得很难，现在就马上制订一份计划吧，试试看嘛。用你的力量，用你的想法制订一份计划！当你制订完计划的瞬间，你就会以自己主人的身份开始你的新人生。"

"嘻嘻！我是我人生的主人？"明月耸着肩膀笑了起来。

　　这时从电话里传来了护士阿姨的声音："打针时间到了。"

　　紧接着又传来了护士阿姨的埋怨声："您不能听这么长时间的电话，您现在需要的是绝对的清净，所以尽量要少打电话。"

　　妈妈向护士道歉后就马上把电话挂断了。

　　妈妈挂断电话的时候，明月突然觉得妈妈好像在很远很远的地方。

　　"明辉，别玩啦。"明月把明辉耳朵上的耳机拿掉后，硬是把他从椅子上拽了起来。明辉用生气的表情看着明月。

　　"我们不能一直按照大人的指示生活吧？从明天开始，我要按照我的计划和方式做我想做的事情和需要做的事情。"

　　明月走进厨房，戴上了橡皮手套，还让明辉用吸尘器把屋子里的灰尘吸了一遍。

"姐,你是我的姐姐吗?"明辉看着动作敏捷的明月好奇地问。

再见了,拖拉

写给妈妈的邮件

为什么不可以让别人帮我制订计划呢?

妈妈,我突然觉得计划就是我和自己的约定。

只要我遵守了约定就可以获得成就感,从而产生我能行、我可以的自信心。

妈妈,我以前认为只有大人才可以制订计划,因为别的同学都是他们的父母帮他们制订计划。但是现在我懂了,我人生的主人就是我,别人代替不了我。

我已经听妈妈的话,把计划制订好了。妈妈,您信不信我的心情变好了呢? 如果是妈妈制订的计划我应该不会那么努力地去实现吧。妈妈说得对,计划还是要自己制订。我觉得我更喜欢实现自己制订的计划,我会更努力地去实现它。

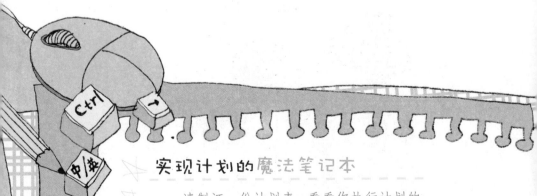

实现计划的魔法笔记本

请制订一份计划表,看看你执行计划的情况如何。

治愈拖拉病

计划最大的敌人就是拖拉。

如果你患上了拖拉病，

就只会嘴上说"以后再做，以后再做"。

请制订出一份简单易行的计划！

如果你第一次就制订了一份非常困难的计划，

那么你就很容易患上拖拉病。

只要你不断努力实现计划，

就一定可以成功。

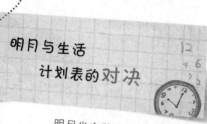

明月与生活计划表的对决

明月坐在秋千后面的椅子上翻开了自己制订的计划表。皱巴巴的计划表就像明月的表情一样，没有一丝笑意。

呼噜，呼噜。

寂静的夜晚，呼噜声在明月的房间里显得格外响亮。刚刚回到家的爸爸轻轻地打开了房门。

明月和明辉都已经进入了梦乡。睡在下铺的明辉歪斜着身子，把脏兮兮的脚放在了枕头上，而睡在上铺的明月还流了一枕头口水。明月和明辉都睡得很香，连爸爸开门的声音也没有听到。

爸爸打开了台灯。明月书桌边的墙上贴着一张

再见了，拖拉

计划表，是圆形的计划表，明月还用彩笔在不同的时间段涂上了不同的颜色。

早上5点50分起床。然后洗脸刷牙，吃早饭，上学。上学后去广播台的工作室。早间校园广播结束后就开始上课。下午，广播台的活动结束后去上英语培优班和数学培优班的课。结束一天的课程和活动后，到家的时间正好是晚上8点。回家后吃晚饭，洗碗，整理家务，时间尽量把握在一个半小时之内。然后从9点30分开始做写字、语文、英语、数学练习册上的练习，还有采写播音稿件。晚上12点睡觉。

看到明月计划表的爸爸大吃一惊，因为这张计划表的生活方式与明月之前的生活方式有着天壤之别。

以前，明月下课后回家做的第一件事情往往就是打开电脑玩游戏。等游戏玩够了，她要么在客厅里看电视，要么在房间里走来走去消磨时间。

但这张计划表太让人吃惊了。计划表里居然没有玩电脑游戏和看电视的时间，更没有休息的时间。

爸爸一面看看已经熟睡的明月，一面看看计划表。他一脸疑惑的表情，怎么也搞不懂这个计划表到底是明月自己制订的，还是妈妈帮她制订的，再不就是学校留的作业？

"平时没有一丝忧愁的太平公主，今天到底发生了什么事情呢？"爸爸用疑惑且欣慰的表情望着熟睡的明月。

他帮姐弟两个人盖好被子后，就走出了房间。对于明天将要发生的事情，爸爸是既期待又担心。

"起床！起床！"

"丁当！丁当！"

"大家早上好！现在开始播放早间新闻。"

第二天早上 5 点 50 分，明月的家里响起了各种各样的闹铃声，手机、闹钟、电视机、音响等一切具有闹铃功能的机器一同响了起来。

爸爸疲惫不堪地走出卧室。他走到客厅，用遥控器把电视机的声音调小了。

不一会儿，明月慢慢悠悠地从房间里走了出来，她皱着眉头半闭着眼睛走到客厅。

明月坐在沙发上，万般挣扎着伸手关掉了闹钟，

  再见了，拖拉

然后像刚刚向敌人投完手榴弹趴在地上一样，原地不动地趴在了沙发上。几秒钟后，趴在沙发上的明月又睡着了。

看到趴在沙发上的明月，爸爸不由得心疼起来，他犹豫着到底是叫醒明月呢，还是不叫醒明月。

"明月，明月，吃早饭吧，吃完早饭不是要去学校广播台吗？"爸爸非常小心地拍拍明月的肩膀说。

一听到"广播台"三个字，明月突然站了起来。平时发生天大的事情都不会起床的明月，居然这么快就醒了。她像不倒翁被弹了一下一样，瞬间从沙发上站了起来。

"明……明月？"爸爸吓得向后退了一步。

明月像机器人一样，就只会一直眨巴眨巴眼睛。虽然身体是起来了，但是精神还在睡梦当中的样子。

"广播台，超级苛刻老师，广播台……"明月像说梦话一样自言自语。

爸爸拍打着明月的肩膀大声喊了起来："是的，早点去学校的广播台吧！我们家明月是主持人！"

明月这才睁大了眼睛，她看了爸爸一眼后，马上跑进了洗手间。

就这样，明月崭新的生活开始了。她把生活计划表放进书包里，以便随时确定下一个日程，但是按照计划表生活对她来说简直就是一个可怕的挑战。"你赢，还是我赢！"明月咬紧牙关坚持着。

不管怎样，明月按照计划表平安地度过了一天。晚上 11 点多，明月全身无力地躺在了沙发上。

"我长这么大，还是第一次这么忙。才一天，我就

  再见了，拖拉

感觉已经过了一个月似的。"明月像念经一样自言自语地说。

正在看报纸的爸爸笑着对明月说："明月你开始努力生活，连爸爸也跟着勤快起来了。爸爸认为你不看电视，不玩电脑游戏已经很厉害了，没想到才一天你就变了这么多，这叫做改过自新吧？呵呵呵！"

爸爸大声笑了起来，可能是看到明月的表现后感到无比欣慰的原因吧。

"爸爸，这几天面包店里的顾客又变多了，你有什么特别的秘方吗？"

"哈哈，被你发现啦！爸爸前几天才知道妈妈做的面包为什么比爸爸做的面包好吃！"

"是什么原因？"明月的眼睛里充满了好奇。

"其实也不是什么秘方啦，就只有一张计划表而已。原来是计划的力量使面包变得美味的。"

"计划？"明月摆出一脸疑惑的表情看着爸爸。

"妈妈按照计划，严格遵守烤面包的时间。她根据顾客流量制订了一个烤面包的时间计划，有些顾客还特地踩着点跑过来买面包呢，因为刚烤出来的面包是那么香甜,那么松软,那么美味。"

"哦,原来如此,果然是计划的力量。我也会努力实现计划,争取在不久的将来成为我国最顶级的主持人。等等,我今天还没有完成的事情是什么?啊,对了!要完成五页练习册的练习!"明月好不容易从沙发上站了起来。她揉着带有困意的眼睛,坐到了书桌前面。已经都快12点了。

没等明月做完一页练习,她的眼皮就已经开始耷拉下来。明月再怎么摇头提神也战胜不了睡神的魔力。

点头点头,嘭!

明月的额头撞在书桌上的同时,她已经进入了梦乡。

"哇!明月居然没迟到,都已经三天啦。真是奇了怪了!"明月走进广播台时,安娜拍着手喊了起来。

"我自己也觉得很奇怪。"明月走到前排的椅子前坐下来说。

"你们看看明月脸上的黑眼圈,她完全是个熊猫,熊猫嘛!而且还是个丑熊猫。"

明月照了一下镜子，她的眼睛下面居然出现了两朵黑色的阴云。

"安静！老师到来之前我们要做好早间校园广播的准备。"六年级的金熙才哥哥严肃地看着明月她们说。熙才哥哥是广播台的台长兼导演。明月这才看到六年级的前辈们正在忙碌地做早间校园广播的录

制准备。

担任主持人的李慧秀姐姐大声地朗读着播音稿件，摄影师许镇秀哥哥正在连接电源，负责音响和照明灯的高昌宇哥哥在检查麦克风的音量。他们认真完成自己工作的样子，看起来是那么成熟，那么帅。

但是以明月为首的五年级同学都不知道应该做些什么，他们只能愣愣地站在一旁看着六年级前辈们忙里忙外的样子。

现在离录制早间校园广播的时间就只剩五分钟了，这时，超级苛刻老师走进来了。

"你们准备好了吗？"

"嗯。"

"那么，开始吧。"

台长哥哥挥挥手，做了一个准备开始的手势，并轻轻地说道："预备——开始！"

早间校园广播伴随着轻快的音乐开始了，演播室里的慧秀姐姐朗读起播音稿件："现在是NBS广播台的早间校园广播。春天，是美好的季节，是充满诗意的季节；春天，意味着一个生机勃勃的开始。"

演播室里坐在照明灯下的慧秀姐姐和以往比起来显得更美丽，更有魄力。现在一切的焦点都集中在了慧秀姐姐身上。

"哇！她好帅，好漂亮！"安娜和娜娜摆出一脸美慕的表情看着坐在演播室里的慧秀姐姐，嘴里还不停地称赞着。

台长哥哥和广播台的其他同学都非常有默契，同学们会按照台长哥哥的手势很快完成自己分内的事情。

明月突然感到特别激动，她感觉内心深处有种热热的东西在激励着她，鼓舞着她。这种心情是明月从来没有体会过的。

超级苛刻老师转过身，看着五年级广播台的同学们说："你们好好看着学学吧，明年开始这是你们要做的事情了。"

突然，明月的眼神和老师的眼神相交在一起，她们互相对视了几秒钟，但是明月很快摆出一副没有自信的表情，低下了头。

"明月，明月你在干什么？"

明月好不容易睁开了千斤般重的眼皮，这时她感觉有个模糊的身影在她眼前来回晃动。

"你上课睡觉还流这么多口水，真是的。"班主任一说完，同学们就哄堂大笑起来。

同学们的笑声把明月彻底惊醒了，她马上用手擦掉了嘴角边上的口水。

"上课的时间都已经过半了，你怎么还在睡觉？上午的课，你像生病的小鸡一样一直不停地点头打盹儿，现在就干脆趴着睡啦？"

明月尽量让自己提起神来，但总是提不起神来，感觉像被谁打了一拳似的。

"你昨天晚上干什么了？上课连课本也没有拿出来，你又放在寄存箱里了吗？"

"没有。我今天带过来了。"接着明月拿出了数学课本。

"现在是语文课！"班主任无奈地摇摇头，走向讲台。同学们再一次哄堂大笑起来。

班主任这时突然捂住了鼻子说："窗户开大一点，

班长！中午吃饭后要及时通风，知道吗？不然上课的时候会一直有饭菜的味道。”

班长姜哲勇站起来说：“老师，这都怪明月。”

“又关明月什么事？”

“明月上午一直睡觉，中午很晚才开始吃饭，弄得供餐值日生没有时间打扫供餐车，还弄得打扫教室的值日生也不能休息，然后就错过了换气的时间。”

班主任怒气冲冲地看着明月，她的眼神像在看一名不可救药的坏学生一样。

“我还说你这几天怎么不迟到了呢，原来你上课一直……明月，老师批评你的地方，你怎么也得注意一下吧。”

“……我错了。”

“知道啦，知道啦。今天开始晚上早点睡觉吧。以后上课要注意听讲，不能像今天这样睡觉了，知道了吗？”

“嗯，知道了。”明月有气无力地回答说。

下午广播台的会议结束后，明月坐在秋千后面的椅子上翻开了自己制订的计划表。皱巴巴的计划表就像明月的表情一样,愁眉苦脸的。

"这是什么?"安娜和娜娜站在明月的背后问道。

"哇,原来是生活计划表,你一天要做这么多事情!""早上5点50分起床,晚上12点睡觉?你真的是按照这个计划表生活的吗?怪不得上课睡觉呢!"安娜和娜娜摆出一副不可思议的表情,看着计划表对明月说。

"我按照这个计划表生活了三天,就已经感觉自己站在了地狱的边缘似的。我现在不仅没有食欲,还特别想睡觉。我上课时根本就没有精神听老师讲课,而且连之前三十分钟就能做完的练习册也要花上两个小时才能勉强做完……"明月开始不断地打哈欠。

"但是,你真的很厉害!这可是一张伟大的计划表。我看,只要你能坚持按照这张计划表生活,不仅学习成绩能成为年级第一,而且还可以成为模范生和广播台的台长呢!"安娜说。

娜娜反驳安娜的话说:"但是,前提是要严格遵守计划,如果你做不到就没有一点意义了。"

"明月不说了要坚持吗?再说她都已经坚持三

 再见了,拖拉

天了！”

　　“才三天？今天一整天她都像生病的小鸡一样一直点头打盹儿，这就叫遵守计划啦？”

　　“那也是，不过这已经很不错啦！”

　　“我看她很快就会放弃的。要不我们打个赌？”

　　安娜和娜娜你一言我一语地说个不停，结果还吵了起来。

明月突然大声喊了起来："你们都给我闭嘴！"然后她站起来背上书包就走。

"都怪你！明月生气了吧。"

"怪你好不好，是你先说到计划表的事情的。"

"你先做好自己的事情吧！"

"是啊，我得先做好我的事情，你也一样好不好！"

走在运动场上的明月实在受不了安娜和娜娜的争吵，突然拼命地朝校门口跑了过去。

"不管怎样，这个计划表确实不太好。如果让我一直按照这个计划表生活，放弃对我来说是早晚的事情，因为计划表里连休息的时间都没有。"明月看着计划表深深地叹了一口气，她很想把这张计划表撕成碎片，但是计划表里突然浮现出了妈妈憔悴的脸。

明月看着窗外思考了几分钟，然后拿起笔开始重新制订起计划表。

"是的，我应该适当地添加一点休息时间，要不然这个计划表实在是太累人了。那么，缩短一点学习时间，玩玩游戏吧。我觉得完全不看电视也不行，这样会融入不到同学中去。如果没有了和同学们的共同语言，我很快就会被排斥的。是的，我得看电视，我就看一会儿。"

计划表突然变得很复杂，连个写字的地方都没有了。

"姐姐，我有装备啦！"明辉一边打开房门，一边高兴地喊着。

"什么装备？"

"钢铁盔甲和机翼鞋。这个装备是只给会员的哟。哈哈，我现在是天下无敌啦！"

好奇的明月快步向电脑前走去，这个装备她也早就想要了。在电脑里，明辉穿着钢铁盔甲，正威武地大步走向女魔头。

"明辉，刀不是那样甩的，应该这样甩好不好。"明月站在明辉旁边敲打着键盘说。明月才三天没有玩游戏，却感觉好像已经很久没有玩游戏了似的。

"明辉，明辉，不是那么玩的！你让一下，让我玩一会儿，就一会儿。"明月说着说着，就抢坐在明辉身边开始玩起了游戏。虽然明月下定决心只玩几分钟，

但是时间过得飞快。

十分钟，三十分钟，一个小时……明月沉浸在游戏中，一直不肯离开。

丁零零，丁零零。

电话铃声响了。

明辉拿起电话筒说："妈妈吗？"

明月一听到是妈妈，立刻看了一下时间，已经是7点了。

"对了！我今天要去上数学培优班的课。"明月突然感到很慌张，因为培优班上课时间已经过了。

"姐姐去哪了？"

明辉看了一眼姐姐。明月做了一个自己已经出去了的手势。明辉看到手势后对妈妈说："姐姐让我说她出去了。"

"我的天！"明月的脸色变得很难看。她真的很想揍一顿明辉，但她还是忍住了心中的怒气。

明辉挂断电话，垂头丧气地坐在沙发上。

"妈妈说什么？"明月问明辉。

"妈妈什么也没说，只是一直叹气。她可能真的病得很严重，这都怪姐姐！"说完，明辉就开始大哭起来。看到明辉哭泣的样子，明月垂头丧气地走进了自己的房间。

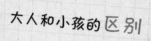

大人和小孩的区别

我不知道从哪儿开始做起，而且还总想玩。既然遵守不了计划，那制订计划又有什么用呢？

"你为什么迟到？"明月刚走进广播台的工作室，超级苛刻老师尖锐的声音就响了起来。同学们一起转身看着明月，六年级的前辈用很不耐烦的眼神看着她。

明月不好意思地低下了头，因为她早上起晚了。虽然她前一天晚上已经设定了电视机、闹钟、手机、音响的闹铃声，但是这些闹铃声还是没能叫醒她起床。

"难道你不知道广播最重要的是时间吗？"

"……知道。"

  再见了，拖拉

"你下午下课后把广播台的演播室打扫一下，如果你再迟到一次，就等着回家吧。"

慧秀姐姐一如既往地用那悦耳动听的声音朗读着稿件。

"呼哧，呼哧。"安娜突然感觉闻到了什么味道。别的同学和超级苛刻老师也一边用鼻子闻着味道，一边搜索着味道的来源处。

"这是什么味道？为什么有股脚臭味？"娜娜突然喊了起来。

"啊！明月，你！"这时安娜的手指不由地指向明月，明月摆出"我怎么了"的表情看着安娜。其他同学的视线再一次聚集在明月身上。

安娜在明月的耳边小声地说："你洗头了吗？已经几天没洗头发了吧？"

"应该有一周了吧！"

"啊！鞋子洗过吗？"

"没洗过，怎么也有一个月了吧。你这么一说，我好像已经好几天没换内衣了。"

安娜摆出难以置信的表情看着娜娜说："啊！娜

娜，我快要晕过去了,快来扶扶我。"

"我也头晕。我简直不敢相信,我居然有个这么邋遢的同学。"

明月哭丧着脸再次低下了头。站在身边的同学也一个个从明月身边走开。

"我一大早就要上学,哪来的时间洗头? 下课后我还要到培优班上课,回到家还要忙着写作业……"

"她不是按照计划表生活的吗? 但为什么连洗头洗澡的时间都没有?"

"嘘! 小声点!"

超级苛刻老师转过身来看了一眼安娜和娜娜。

早间校园广播一结束,超级苛刻老师就走了,明月和广播台的其他同学一起留下来清扫广播台的工作室。

"怎么就选了她?"慧秀姐姐的声音从演播室里传了出来,"她的头发乱得像鸟巢似的,而且她现在还穿着冬天穿的风衣,那件风衣还那么脏。我总觉得她有点不正常,不是吗?"

慧秀姐姐皱着眉头看着熙才哥哥说。慧秀姐姐和熙才哥哥一点也没有觉察到他们的谈话声已经传到了演播室外。

"她可能是第一次,没有经验。第一次谁都做不好。"熙才哥哥安慰着慧秀姐姐说。因为广播台的其他同学都不清楚熙才哥哥和慧秀姐姐在说哪个人,所以大家只是疑惑地看着身边的人。

"那样的学生会破坏我们广播台主持人的形象。她不但学习不好,而且还懒得要死,懒得脸都不好好洗就上学,再加上她又是出了名的迟到大王,你就不怕她把我们广播台主持人的形象全给毁了?"

"老师会看着办的。"

这时,明月正在演播室外面拿着扫帚扫地。听到慧秀姐姐和熙才哥哥的谈话后,明月突然感觉很紧张,因为她有点担心他们说的那个迟到大王就是她。

"我可不想和那种学生一起待在广播台。你是不知道,我们六年级的同学都不喜欢她。"这是慧秀姐姐的声音。

"不会的，不会的，难道……"明月开始怀疑自己是不是听错了。

"那个叫明月的真是讨厌死了。我真的觉得奇怪，老师为什么选了她？如果她一直这样不守规矩，那我一定要老师把她赶回家。"

明月像被泼了一身凉水一样，她真想马上找个地洞钻进去。站在旁边的安娜和娜娜也只能摆出一脸慌张的表情看着明月。

　　慧秀姐姐打开演播室的门走了出来，她皱着眉头很不耐烦地瞥了一眼五年级的同学们，然后打开广播台工作室的门走了出去。

　　明月有点不敢再待在工作室了，所以也从工作室里走了出来。

　　"可能我真的做不好吧。"明月趴在教室的桌子上自言自语地说，"我这种懒蛋包，迟到大王，还做什么主持人？我真是异想天开。"

　　太平公主明月的声音开始变得沙哑了。这时安娜和娜娜走到明月的身边。

　　"慧秀姐姐怎么就不会照顾别人的感受呢？她实在是太坏了。""就是的。学习好有什么用，她每天就是一副气势逼人的样子。"安娜和娜娜为了安慰明月，开始说起了慧秀姐姐的坏话。

　　"明月，我建议你重新制订一份计划表，还有让你妈妈帮帮你吧。"

"重新制订计划又有什么用？我现在需要完成的事情已经堆得像山一样高了，再说也不知道从何做起，而且我还总想玩。反正我又遵守不了计划，重新制订计划又有什么用呢？我看我就是这种人了。如果我有两个身体该多好啊！"明月伤心地抓着鸟巢般的头发说，"安娜，娜娜，你们怎么就没有迟到过呢？你们计划遵守得很好，也从来没误过事，你们有什么秘方吗？"

"秘方……"安娜和娜娜互相看着对方，摆出一脸坏笑说。

"我们告诉她吗？"安娜看着娜娜问。

"没关系的，明月能跟谁说啊！"

安娜靠近明月的耳边细声细气地说："我们会分身术。"

"分身术？孙悟空会使的那种分身术？孙悟空七十二变？"

"是的，就是那个！"

明月突然皱着眉头说："你们两个居然敢戏弄我！

  再见了，拖拉

我被广播台的人欺负就算了，连你们也要欺负我？"

"没有。你看好了！"安娜从包里拿出了一盒化妆品，她照着镜子在自己的脸上画了几颗黑痣，而娜娜在脸上擦了一点肉色的湿粉把痣弄没了。

"啊？你们……"

这时，安娜变成了娜娜，娜娜变成了安娜。她们脸上的几颗痣神不知鬼不觉地被她们调换了。安娜轻轻地笑着说："你现在知道了吗？我们绝对不迟到的秘方就是这个。我们去广播台工作室的时候只要一个人去了就可以了，剩下的一个人是可以迟到的。我先去广播台工作室和超级苛刻老师打个招呼，然后说要去洗手间，我去洗手间的时候在脸上画几颗痣就可以啦，这样我就变成娜娜啦。"

明月仍然疑惑不解。

"接着我会以娜娜的身份走进广播台的工作室和超级苛刻老师打招呼，然后没过几分钟我又会去洗手间把痣擦掉了再进来。我就这样一直拖到娜娜真正上学了为止。"

明月惊讶地说："哇！你的意思是说，你们迟到了也没有人知道,对吧? 原来你们是一个人扮演两个人的角色!"

"嘻嘻,是的。我们不仅在学校这么做,还经常在培优班这么做,所以一次也没有迟到过。现在你知道我们为什么一直穿一模一样的衣服了吧?"

"哇,天啊! 我怎么就这么命苦,我为什么就不是双胞胎呢?"明月一边敲打着桌子,一边喊着说。

"嘘,小声点! 我们虽然是两个人,但是也很累,所以我们可以理解迟到大王你的难处。明月,如果你从广播台里退出,我们会很舍不得你的,所以你要坚持到底,懂吗?"

班主任一走进教室,安娜和娜娜就马上回到了自己的座位。

下午,广播台的会议结束后,明月留了下来,因为早上迟到,所以她被老师罚扫演播室。

"开会的时候我总觉得老师和前辈们都在盯着我,所以弄得我全身都不自在。"明月一边拿抹布擦着桌子,一边自言自语地说。

安娜和娜娜正在照着镜子卸掉脸上的妆。明月这才知道，今天的安娜是娜娜，娜娜是安娜。

"真奇怪，明月到哪里都要打扫卫生。"

"有的人运气就是那么差，为了远离垃圾车，反而被装粪车撞死；好好走路却无端被跳楼自杀的人压死；还有的人为逃避打扫厕所，逃到广播台却要打扫演播室。"

"你还幸灾乐祸？"明月真想把抹布扔到安娜的头上，但还是忍了下来。

娜娜站起来对安娜说："我们走吧，两个身体也累啊，有时候我真的很想变成三头六臂。妈妈怎么没把我们生成三胞胎四胞胎呢？"

安娜对娜娜说："今天轮到你了吧？你先去数学培优班上课，我吃盘炒年糕再去上课。"

安娜和娜娜一走，明月就只能独自一个人留在演播室里整理缠在一起的麦克风电线，还要擦掉窗台上的灰尘。

演播室的角落里放着有点古老的寄存箱。明月打开箱子的门一看，里面有一团电线和已经出了故障的音响，还有以前的磁带，这些东西都凌乱不堪地堆积在箱子里。

明月想关上寄存箱的门，但是门怎么也关不上。明月用力推了推门，寄存箱摇摇晃晃，还有很多灰尘掉落下来。这时，突然从寄存箱顶部掉下来什么东西。

原来是一本皱巴巴的旧笔记本。

明月仔细地看了一下笔记本。笔记本的封面上写着《实现计划的魔法笔记本》和"五年级一班45号金奇虎"。

"魔法笔记本？广播台里有叫金奇虎的人吗？"

明月好奇地翻开了笔记本，里面夹着四年级和五年级的综合评价单。明月先翻开了四年级的综合评价单。

"语文25分，数学20分，品德15分，自然科学30分……"

"五十二个人中排第五十名！这人也太厉害了，学习比我还烂。"明月有点幸灾乐祸地自言自语道。四年级综合评价单的下半部分是老师的评语和家长的

话,老师会把一个学生的学习态度和与同学之间的相处关系等内容简要地反映给家长,家长也会根据老师的评语相应地回复老师。

金奇虎同学上课不注意听讲,还经常忘记带课本。因为缺乏自信心和责任感,所以他常常拖拖拉拉,很多事情都做不好。此外,他迟到过于频繁。

"哇！他的情况比我严重多了。"

明月接着往下看。家长的话那一栏里简单明了地写着这样一句话。

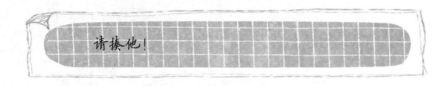

请揍他！

"哈哈！他的父母比我妈妈还厉害。"

接下来，明月翻开了五年级的综合评价单。

"语文 95 分，数学 100 分，品德 100 分，自然科学 95 分……排名第一？"

老师的评语栏里这样写着：

> 金奇虎同学的勤奋和努力是班里出了名的。上课总能看到他端正的身影，听到他清脆的嗓音。他总能带着一股认真劲儿学习和参与播音主持的工作。他的字迹端正了，成绩稳定了，大家也更喜欢他了。继续加油吧，他将成为一个更加出色的学生！

"这张综合评价单是别人的吗？他一年内居然可以改变这么多？"

明月再次确认了一下综合评价单的名字，的确是金奇虎，是同一个人。难道世上真的存在带有魔力的"魔法笔记本"吗？

明月轻轻地歪斜着头，开始读起魔法笔记本里的内容。

笔记本的第一页写着这样的话：

一把又旧又脏的小提琴因为声音跑调，没人愿意购买。一位老者一丝不苟地给每根琴弦调音，小提琴因此能够弹出优美的乐曲，结果价格一路攀升。

一个人也像一把小提琴，心态好比琴弦，调整好了心态，别人就不会轻视你的价值。

欲望无穷无尽，而机会却稍纵即逝，很多时候，为了得到更多而一味等待，不采取果断的行动，不但不能满足你的欲望，反而会让你连原先拥有的东西也失去。

有耐心的人能钓到大鱼。

耐心是一种主导命运的积极力量。追求人生目标的决心愈坚定,你就愈有耐心克服阻碍。脚踏实地地去做,没有实现不了的目标。

——《塔木德》

明月既感觉看懂了这几段文字,又感觉没有看懂似的,好像是坚持到底才可以获得成功的意思吧。

咚咚咚。

有人敲了敲广播台的门,原来是超级苛刻老师进来了:"你打扫完了就快点回家吧,以后早一点上学。"

明月趁老师不注意,把魔法笔记本放进自己的书包里,然后飞快地跑回了家。明月心里想着,假如在我身上也发生这种魔幻般的事情该多好啊。

写给明月的邮件

你大部分时间都在忙什么呢？

明月，你说你很想知道自己有没有合理安排时间，是吧？

我有个好办法！医院为了更方便、更有效地完成体检会给大家发一张体检表，对吧？你也可以制作一张像医院体检表一样的时间体检表，也就是时间管理表。

时间管理表以一周为单位，一周的全部时间是24小时×7天=168小时，也就是说睡觉的时间、上课的时间、玩电脑游戏的时间以及和朋友玩的时间等等，全部的时间加起来应该是168个小时。

但是你会发现所有时间再怎么加起来也少于168个小时，难道时间会无缘无故地自己消失吗？

请思考一下：

1. 你经常忙些什么？

2. 你做得最有效率的事情是什么？

3. 你一共浪费了多少时间？

如何缩短无效率的时间，增加有效率的时间呢？只要你想到好办法，那么你的生活就会变得很充实。

制订优先顺序

TUE	WED	THU	FRI
学校广播台会议		洗碗	
	背诵三个英语单词	1. 写作业 2. 做数学练习	1. 英语培优班 2. 数学培优班
	采写播音稿件		ABC
	背诵两个成语		整理房间
			检查和确定计划表

不能遵守计划的人经常会说：
"我没时间，我太忙了。"
如果你不懂从何做起，
那么就请你排列出事情的优先顺序吧。
按照优先顺序一件一件地完成下去，
你就一定可以实现计划。

实现计划的
魔法笔记本

请制订一份你可以实现的计划。首先要明确你的最终目标，然后是具体地计划实现目标的途径，即你需要做的事情。

1988 年 5 月 25 日

 悠闲的后爸

妈妈和后爸结婚以来，我的生活发生了很多改变。我对后爸的第一印象不好也不坏，因为我觉得他很陌生，但是现在他在我心中的地位发生了很大的改变。

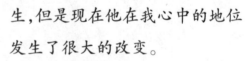

妈妈虽然是个普通的上班族，但是工作很忙，加班很频繁，

所以晚上经常是我一个人吃饭，我一个人待在家里。

但是妈妈和后爸结婚以后，她会提前回家做饭，然后一家人围坐在一起吃晚饭。

妈妈说后爸的职业是税务师，工作特别多特别忙。

但是在我看来，后爸并不是那么忙的人。他常常面带微笑，悠闲地在家里走来走去。

刚开始我还以为妈妈在说谎，但其实她没有说谎。后爸的工作的确很忙，但他总会游刃有余地处理事情。我突然对后爸处理事情的方法感到十分好奇。

1988 年 6 月 1 日

✏️ 按照时间制订计划是错误的方法

我一直以为制订生活计划表的第一步是画圆，也就是按照一天 24 小时来制订计划表。

每个假期我都会制订一份生活计划表。先画一个大大的圆，然后写上每个时段要完成的事情，最后把制订好的计划表贴在书桌边的墙上。下午5点到6点学习数学，6点到7点学习语文，7点到8点吃晚饭、做运动，8点到9点写日记……但是我一次也没有遵守过这个计划表。

　　后爸看到贴在我房间里的生活计划表后说："这个计划表不是为了实现目标而制订的，而是一张装饰用的计划表。这种计划表制订得再多再好也没有用，遵守不了的计划表就不是真正的计划表。"

　　起初，我根本就没有听懂后爸的用意，因为别的同学制订的都是这种计划表，还有学校的老师也没有批评过这种计划表。

　　后爸仔仔细细地解释说："大多数人都是按照时间制订计划表的，但是这种方法并不是最好的选择。制订计划不就是为了实现目标嘛，但是如果按照时间制订计划表，那么即使没有实现当前的目标也得直接跳过去，去实现下一个目标，这种方法是不科学的方法。"

我觉得后爸说得很有道理。

后爸说明天和我一起制订一份魔法计划表。我真的很期待明天,也期待后爸的魔法。

1988 年 6 月 2 日 ☀

✏ 制订魔法计划表

吃晚饭的时候,后爸突然问我:"你认为菜做得越久,味道就越好吗?"

我摇了摇头。后爸继续问我:"那你认为看书看得越久,学得就越多吗?"

我再一次摇了摇头,我觉得这个问题很简单。后爸继续说:

"计划的重点不是时间，而是要做的那件事情。虽然可能每个学生的学习时间和地点都相同，但还是会存在学习成绩的差异。最好不要按照时间制订计划表，这种方法的完成率很低。"

这时，后爸拿出了自己的笔记本，他的计划表是按照目标制订的。

目标计划表是以目标为重点制订的计划表：下午5点开始解答两页数学练习题，下午6点开始熟记一篇美文，晚上8点开始写一篇日记……

我决定按照后爸的方法重新制订一份计划表。

与其计划一天学习五个小时，还不如计划从哪里学到哪里，学到什么程度。按照要完成多少任务来制订计划表，我怎么之前不知道这个方法呢？按照目标制订计划表会不会有种魔力能让我成功呢？

1988 年 6 月 3 日

改变心态

我以前经常会放弃实现计划，所以我很担心。我从来没有真真正正地完成过一件事情，我总觉得我的心态不好。

"我明明知道会失败，为什么还要去做呢？纯粹就是浪费时间嘛。我一定会失败！我本来就是个懒惰拖拉的人。"这种话一直像恶魔一样在我的耳边回荡。

所以我向后爸坦率地说明了我的担忧。后爸听完，微笑着对我说："放弃实现计划是有原因的，那就是你的计划表制订得不好。只要你的计划制订得规范合理，那么你一定可以实现计划。首先你要先把消极的心态转变成积极的心态，等你有了自信，你就会在不知不觉中对自己说'我也可以做到'、'我也行'这样的话。"

如果我真的像后爸说的一样，我能够实现按照目标制订的计划就好了。但愿会发生这种奇迹般的事情。

1988 年 6 月 4 日

按照目标制订计划表的方法 1

奇虎,我想对你说几句话,所以在你的笔记本里为你写下了这些话。

你想知道怎样制订一份有效率的计划表吗? 还有,怎样制订才不会让你放弃实现计划,反而会让你按时遵守计划呢? 如果你想知道,那么就按照爸爸的话试一试吧。

请制订一份你可以实现的计划。首先要明确你的最终目标,然后是具体地计划实现目标的途径,即你需要做的事情。

人们经常盲目地制订计划表,比如"我要努力学习英语"、"我要攒钱"等等,但是按照目标制订的计划表却不是这样的。按照目标制订计划表的重点不是盲目地说"我要努力学习英语",而是要考虑"怎样才可以学好英语"。

那么,到底要怎样制订学习英语的计划表呢? 比如,每天背诵十个英语单词,每天阅读三十分钟的英语故事书等,我觉得你要制订这样的具体计划。

请记住！制订计划表的重点是明确目标和实现目标的具体方法。

最后我还有个请求,你以后直接叫我爸爸可以吗? 可以吗?

1988 年 **6** 月 **15** 日

 按照目标制订计划表的方法 2

我按照爸爸的话,重新制订了一份计划表,但是我还是做不好,所以我对自己很失望。我觉得可能是我不够聪明,以及缺乏耐心的原因。

但是爸爸说我还是没有制订好计划表。

爸爸说我的计划表表面看起来制订得非常完美,但确定的目标太大太远、不切实际。爸爸说,如果按照这种计划表生活,没过两天我就会放弃。

爸爸说得很对,我的确只坚持了两天。

爸爸说计划不能制订得太过分，因为实现不了的计划会打击我实现目标的积极性和自信心，所以这种计划还不如不制订呢。

制订一份可以实现的计划表吧！爸爸说制订计划表的方法可以分两个阶段。

第一阶段 制订一份增强自信心的计划表

增强自信心的计划表不是一份让人觉得很难很累的计划表，而是一份不需要别人帮助也可以轻松完成的计划表，比如，今天开始每天跳十分钟跳绳，早上上学的路上背诵一个成语。这种程度的计划就算是比较容易实现的计划，然后先坚持一周。这样慢慢地养成了一种习惯后，你就会有"我也可以实现计划"的自信心了。

第二阶段 提高目标

接下来把目标提高一点，每天跳十五分钟跳绳，每天背诵两个成语。记住目标绝对不要提得太高太夸张，应该适可而止。然后你还是慢慢地实现这个目标以养成一种习惯，等到完全实现了这个计划，你就可以再次提高目标。

爸爸的魔法是像走楼梯一样，慢慢地一步一步地去实现计划。

1988 年 6 月 16 日

 有效利用时间的方法

今天，爸爸教我如何有效地利用时间。

成功者和失败者最大的差别就在于怎样更有效地利用时间。只要你能有效地利用时间，那么再难的计划你也可以不慌不忙、从容镇定地完成。

不管你是成功者还是失败者，每个人一天的时间都只有二十四小时。不管你多么聪明，多么勤劳，你一天的时间仍旧是二十四小时。时间对每个人都很公平，每个人一天的时间都只有二十四小时。

但是在同样的时间内，有的人就可以不慌不忙、从容镇定地实现计划,而有的人却被时间和自己制订的计划所追赶。这种被时间追赶的人是不懂得利用时间的人,他们经常会以时间不够或者没有时间等类似的话作为借口。

爸爸说到这里时,我突然觉得很羞愧,因为我以前就是这种人。

爸爸还说,假如你想有效地利用时间,那么就请制订一份可以实现的计划表吧。这样不仅会让你懂得时间的重要性,而且也会让你的生活变得很充实。计划会让你拥有比别人更多的时间。

1988 年 10 月 1 日

✏️ 有魔力的时间

我已经很久没有写日记了。昔日的春季变成了夏季,夏季变成了秋季。

这段时间里,我真的改变

了很多。暑假期间我按照爸爸说的去做，虽然只有两个月的时间，但我改变了很多，这一切真得谢谢爸爸的魔法。

我以前觉得学习很无聊很乏味，更不想上课。但是爸爸教我的制订计划的方法使我现在喜欢上了学习，喜欢上了上课，这样的计划表真的很有魔力。

让我最高兴的事情是我成为了学校广播台的一分子。每次的广播台活动都会让我很兴奋，很开心。

自从成为广播台的成员以后，我的梦想就更加明确了。我的梦想是成为一名主持人。

我要成为一名优秀的主持人，成为一名可以快速准确播报新闻的主持人，人们会根据我播报的新闻来了解世界的动态。

如果要想实现成为主持人的梦想，那么就得借助计划的力量。我应该慢慢地、不间断地像走阶梯一样，一个台阶一个台阶走向梦想阶梯的顶端。

读到这里的明月，轻轻地吐了一口气。

明月觉得《实现计划的魔法笔记本》像开启心灵之门的钥匙一样，使她一下子懂得了很多东西。

明月的心情突然变得很轻松，因为她觉得前行的道路变得更清晰、更明亮了。

明月不能实现计划并不是因为她没有别人聪明或者缺乏耐心，而是她制订计划的方法和实现计划的方法出现了问题。

明月豁然开朗，她再次暗暗地下定了决心："从明天起，我会朝着自己的目标大步大步地走下去。"

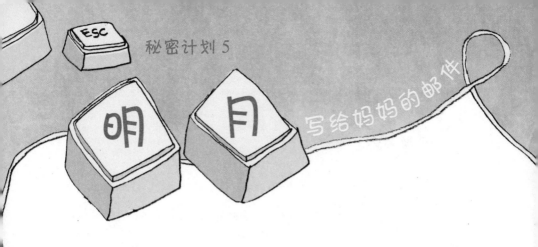

明 月

写给妈妈的邮件

如何制订提高学习成绩的计划？

妈妈，我今天发现了一些秘密。

第一，制订计划最重要的不是时间，而是需要完成的事情。也就是说，我应该制订一天需要完成的学习量，然后还要制订一周的学习量和一个月的学习量。

第二，要制订一个目标较小的计划。当我们堆雪人时，刚开始往往都会将一个小拳头般大的雪球在雪地里慢慢地滚动，这样雪球很快就会变得很大。制订目标较小的计划根据的就是这种原理，慢慢地、努力地去实现一个个小目标，那么总有一天，我会成功。

第三，不可以在计划中设定太多的目标。目标设定得太多，反而会影响我的耐心和自信心。如果少设定一些目标，那么不仅会减轻我的心理负担，还会提高我的注意力。

妈妈，敬请期待吧！

实现计划的魔法笔记本

遇到困难，大部分人会选择逃避，但逃避解决不了问题。请你想一想，如何以更加积极的态度来应对这些困难呢？

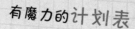

有魔力的计划表

看到涂满蓝颜色的计划表，明辉不由得高兴起来。他真的很想快一点把剩下的表格也涂满了。

第二天，明月在墙上贴了一张四开纸大小的计划表。明月在计划表的上面写了一目了然的五个字"魔法计划表"，还画了两个表格。左边的表格是明月的，右边的表格是明辉的。

"这是什么？你要在我身上施什么法术吗？"明辉好奇地问。

"是又怎样？明辉，我们以后要按照这个计划表生活，知道吗？"

再见了，拖拉

"怎么生活？我可不喜欢不停地看书。"明辉嘟着嘴，皱着眉头对明月说。

"这个计划表会让你实现目标的。我以后再也不会制订实现不了的计划了，你看好啦。"

明月按照《实现计划的魔法笔记本》上的方法，在计划表上写上了目标，当然这个目标比较简单。

上学的路上背诵三个英语单词，午间休息时背诵两个成语等等，坚持一周的时间。利用上学路上和午间休息的时间是为了更有效地利用零碎的时间。

明辉制订了更加简单的目标计划:不到处乱放东西,少玩二十分钟电脑游戏来解答五道数学题。

"就这些行吗?"

"只要你能坚持一个月,姐姐就给你买礼物,买你最喜欢的变形金刚。如果你成功按照计划表实现了计划,那么就用这支蓝笔涂满计划表上的一个小长方形。这样你就可以一目了然地看出自己到底有没有实现计划,以提醒自己再接再厉。"

"啊,原来如此!为了涂满颜色,我一定会努力实现计划的。"明辉高兴地说。

"是啊,我们一起努力吧,争取不要因为没有实现计划在计划表上打×哟。"

"好啊。但是为什么没有实现计划要打×?"

"因为×标记会让你不高兴,让你心痛,这样你就会告诉自己'我一定要努力'。对了,表现特别好的那天就做个大大的标记吧,画个大大的星星也可以,就像这样!"

"哈哈哈!看到星星,我心情好好哟!"明辉有点

兴奋地说。

"明辉，刚开始你可能会觉得很累，但是只要你坚持下去，慢慢地养成习惯就好了，知道了吗？"

"知道了，我看也不是什么很难的事情嘛。对了，你真的会给我买变形金刚吗？拉钩！"

明月和明辉用手指头拉钩确定了彼此的约定。

一天，两天，三天……

明月已经是第九天遵守计划了，奇怪的是，现在按照计划表生活已经不是什么困难的事情了，可能是从最简单最容易的事情开始做起的原因吧。

明月像被施了什么法术一样，很适应这种有计划的生活，她感觉魔法计划表就像一件合身的衣服一样适合她。

明月的生活作息和生活态度明显改变了很多。

明月按照魔法计划表生活后就没有迟到过一次，上课时也没有像生病的鸡一样不断地点头打盹儿。现在按照计划表生活对明月来说已经不是困难的事情了，每天不按照计划表生活，明月反倒会觉得全身不自在。

睡觉前,明月会突然从床上跳下来确定一下贴在墙上的大大的计划表,看看今天的计划是都已经完成了还是忘了做什么,她认真地确定以后才能安心入睡。

看到涂满蓝颜色的计划表,明辉不由得高兴起来,他的自信心也提高了不少。明辉真的很想快一点把剩下的表格也涂满了,他的计划表上画有大大的星星和想要得到的变形金刚礼物。

明月一有时间就会反复阅读《实现计划的魔法笔记本》。她觉得每次重新阅读时都会得到不一样的收获，笔记本非常详细地记载了金奇虎从班级倒数第三名到顺数第一名的变化过程。

　　明月越来越对金奇虎这个人感到好奇。她还时常会想象一下金奇虎现在干些什么工作："他到底有没有实现梦想呢？他现在会不会是一名主持人呢？"

　　突然，明月的脑袋里闪现出这样的想法："对了，他说不定是妈妈认识的人呢。妈妈可是我们学校的广播台前辈。"

　　明月暗下决心一定要向妈妈问问这个人。

看着突然改变的明月和明辉,爸爸感到十分惊讶。

实现计划的时间变得充足,心理负担越来越轻,明月的外表也改变了很多。在广播台的工作室里,娜娜看着明月说:"明月,这几天你脸上抹了什么润肤霜呢?"

"我什么都没抹,我就洗脸,怎么了?"

"哇,你的脸在发光啊,我还以为你抹了什么润肤霜呢。"

这时安娜也插话说:"原来明月的皮肤这么好,我才知道……你怎么和原来相差那么多!"

广播台的六年级前辈也改变了对明月的看法,不知不觉中,他们不想和明月一起工作的声音也消失了。

"你们就没有更具创意一点的想法吗?"广播台的老师开会时对同学们说,"我们来办一个与以往不同的更有创意的新节目吧。我们不能只做与以往类似的节目,而要举办一个可以让别的同学也直接参与进来的新鲜的校园活动。"

这时,广播台的同学们都沉默无语。

慧秀姐姐好不容易开口说道:"智力抢答怎么样?

  再见了,拖拉

选五个同学上台回答问题,然后再发给他们一些奖品。"

"会不会太枯燥呢?智力抢答应该是一些有实力的高手互相竞争的节目吧,但是同学们的智力水平都太相似了,他们会觉得很枯燥很无趣的。再说我们学校不是每个月举行一次金钟图书答题赛吗?节目的性质太相似了。"

慧秀姐姐摆出了一脸失落的表情。

咚咚咚。

老师用手指敲打着桌子,但她什么话也没有说。

"我……"明月小心地看着老师的眼色说。

"什么?"

"实现计划怎么样?"

"实现计划是什么意思?"老师问道。

"每个人应该都很想实现计划吧,但真正能完成计划的人却很少,所以我们要制订可以实现的计划表。我觉得我们可以搞一个在全校师生前公开自己计划表的活动,这样大家每次见到公开计划表的同学都会向他们问起计划的完成情况。"

"计划完成得怎么样?"老师一边点头,一边对广

播台的同学们说,"嗯,公开计划表的同学会为了回答没有公开计划表的同学的问题不得不去实现计划,因为不实现计划会成为一个不诚实的人。"

突然,慧秀姐姐很不屑地看着明月撇了撇嘴。安娜和娜娜吓得瞪大眼睛看着慧秀姐姐。

老师又沉默了,她思考许久,突然高兴地说:"好主意! 我觉得这个提议很好,我们不仅可以让同学们参加,也可以让老师们一起参加。'我要成为代表我们学校的校级短跑运动员','我们班要获得这次美化环境比赛的第一名',这种公开的约定会使全体师生产生紧迫感,也会使我们学校成为一个积极向上的学校。太好了!"

老师更加兴奋了,安娜和娜娜也跟着高兴起来。

"下周就马上开始吧,先把活动的简介宣传单贴在学校的各个角落里。哦,对了! 刚开始可能会没有人参加,所以先从我们广播台的同学开始吧。还有,可以给那些实现计划的同学颁发一件小礼物,礼物可以是类似书本的东西。我们一定会成功!"老师说着说着,兴奋得站了起来。

"我，老师……"熙才哥哥突然举起手说。

"怎么了？有好的想法吗？"

"不是。只是，如果提出的建议被采纳确定成为校园活动，那么那个提出建议的人不就应该是节目主持人了吗？"

"对啊，这一直就是我们学校广播台的传统，这就是所谓的机会责任制。既然这位同学的建议被采纳确定成校园活动，那么这位同学就应该负责到底嘛。你们有什么意见吗？"

"但是明月不是没有经验吗？她应该没有能力担任节目主持人吧。要不，这次还是让慧秀来当节目主持人？"

老师这才考虑到这个问题。

"马明月！你能担任主持人吗？"老师紧盯着明月问道，同学们的目光也都集中在了明月的身上，慧秀姐姐的嘴角也开始微微地颤动起来。

或许是身为太平公主的原因，或许是实现计划的过程使明月得到了自信心的原因，明月没有一分半秒的犹豫，很自信地回答说："嗯，我能！"

明月的回答充满了自信。老师一边眨巴着眼睛，一边看着明月说："很好，这样也行。但你自己主持节目还是很危险，所以你和慧秀一起主持吧，这样也有个照应。等等，我还是去听听校长的意见吧。我们不仅要在校内举办这个活动，还要凭这个活动去参加今年的全国小学生广播比赛。你们大概整理好就回家去吧。"

老师说完就匆忙地走出了广播台的工作室。

广播台的同学们都以一脸迷茫的表情望着老师的背影，可能是因为老师的决定很突然。熙才哥哥说："大家都听到老师的话了吧？以后我们大家一起努力！虽然五年级的同学成为节目主持人还是第一次，但六年级的同学也不要摆架子，要尽量听从明月的安排。不管怎么样，明月也是这次活动的负责人，知道了吗？"

"知道了。"六年级的同学们还是有点不服气地回答说。

"明月，你以后不用打扫广播台工作室了，还是多多考虑一下活动的安排吧。"

广播台的会议就这样结束了。

明月一走出工作室，安娜和娜娜就抱住了明月。

"明月，我们知道你一定会成功。"

"每次都要打扫卫生的明月，现在可不用打扫卫生啦。"

明月高兴得不知所措，感觉简直像做梦一般。

"马明月！"突然后面有人叫住了明月，原来是慧秀姐姐。感觉气氛会变得很糟糕，安娜和娜娜用担心

的眼神看着明月向后退了一步。

慧秀姐姐高傲地紧盯着明月,明月也不甘示弱地紧盯着慧秀姐姐的眼睛。

"合作愉快!"慧秀姐姐突然一边伸手一边说。

"谢谢,姐姐!"明月一边说着,一边握住了慧秀姐姐的手。明月和慧秀姐姐都笑了起来。

学校的庆典活动和
特别来宾

爸爸和明辉并排坐在观众席的最前排。明辉不断地向明月挥手，爸爸一边笑着，一边向明月竖起了大拇指。

"向天小学庆典活动"。学校校门旁挂了特大的条幅。同学们开始接二连三地聚集在大礼堂里。

向天小学一年一度的庆典活动开始了。

校庆活动的舞台上，两个女孩拿着麦克风站在舞台上。她们穿着相同的条纹裙子和红色衬衫，其中一个女孩是李慧秀，另一个就是马明月。

"大家好。这次我们向天小学庆典活动的主题是计划，那么，我问问大家，你们制订过计划吗？实现过

计划吗？今天我们不仅可以倾听大家的计划，而且还可以看到以计划为题材的话剧演出，最后我们会邀请一位特别来宾讲述自己亲身

向天小学庆典活动

经历的与计划有关的一些故事。"庆典一开始，慧秀姐姐就非常利索地介绍了关于庆典活动的安排。

明月紧接着说："我以前是一名绝对遵守不了计划的人，但是现在我不仅是一名绝对遵守计划的人，也是一名喜欢遵守计划的人。你想知道遵守计划的秘方吗？一会儿我就会告诉大家。"

明月站在舞台上向观众席看了一眼。

爸爸和明辉并排坐在观众席的最前排。明辉看到明月后不断地向她挥手，爸爸也笑着向她竖起了大拇指。明月看到爸爸时，仿佛也看到了妈妈欣慰的脸庞。

突然，周围的灯光变暗了，所有照明灯的灯光都聚集在了舞台上。名为《时间管理医生和拖拉病》的话剧演出开始了，这是明月和广播台主持班的同学们一起写的话剧。

一个孩子坐在书桌旁，但他一直不能集中精神学习，总是做一些小动作，比如说：看电视、抠鼻屎、吃饼干、发呆。

一群地鼠来到他的房间里，每个地鼠的衣服上都写着"时间"两个字。时间地鼠一直在孩子的身旁等待着时机，每当孩子做小动作时，就会有"吧唧吧唧、吧唧吧唧"的声音响起来，那是地鼠正在吃着什么东西的声音。

"哇，好好吃！果然还是时间好吃，特别是小孩的时间。"

"因为小孩的时间最珍贵了。流逝掉的时间不仅会和你无情地分别，而且你用金钱也买不回来。"

"快点吃吧，吃到他把时间全部浪费掉为止，最好让他变成懒蛋包！"

地鼠一边跳舞，一边围绕着孩子走来走去，它们把孩子的房间弄得乱七八糟。

孩子渐渐地变成了懒惰的人，每天早上都会赖床睡懒觉，自然就迟到了。但他玩电脑游戏的时候，眼睛却很有神，精力充沛。

这时穿着白大褂的医生走了进来。

"您是谁？"

"我是管理时间的医生，我是来帮你治病的医生。"

医生一走进孩子家里，
就马上拿着扫把开始打扫
客厅和整理书桌。

"书桌弄得太乱会分神，使你
不仅不能集中精神学习，而且还会浪费时间。时间地
鼠最怕的就是整理了。"

医生用大大的扫把把时间地鼠扫得一干二净。

"我再看看，看看你还得了什么病。"医生把听诊
器放到孩子的肚子上说，"哇！原来你得了拖拉病啊。"

这时，台下看话剧的同学们都哈哈大笑起来。

"计划性生活中最严重的问题就是拖拉了，一旦
你得了拖拉病就很难康复。大部分的人都是因为得
了拖拉病，所以才不能遵守计划的，这种病是用任何
药物也不能治疗的很恐怖的病。"医生在舞台上转了
一圈后向台下的同学们说道，"你们知道拖拉病患者
的共同点吗？那就是今天睡觉，下决心明天再开始
做。但是一到明天还是会睡觉，然后再次下决心从这
个周末开始做。就这样，一天变成了一周，一周变成
了一个月，一个月变成了一年。只会制订出庞大的计

划表，但实际上什么事情也没有做。"

　　台下开怀大笑的同学们开始沉默了，他们也许觉得和自己的故事很相似吧。

　　台上的孩子跪在医生的前面哀求说："医生，那我快死了吗？我因为没有珍惜时间，所以被上帝惩罚缩短我的生命吗？"

　　"嗯，也不是完全没有办法……"

"有什么办法？我什么办法都愿意试一试。"

"其实不是什么特别难的事情，只要你从小事一件一件地慢慢做起。一开始就制订一个很难的计划，这样不好。应该制订一个又简单又容易完成的计划，假如之前的一天背诵五个英语单词的计划有点难实现，那么就改成一天背诵两个英语单词吧，因为与其得了拖拉病一天什么也不学，还不如每天努力背诵两个英语单词。虽然仅仅是背诵两个英语单词，但只要你一直坚持下去就会产生'我也可以做到'的自信心，慢慢地，就会从背诵两个英语单词变成背诵三个英语单词，从背诵三个英语单词变成五个英语单词了。从小事一件一件地慢慢做起，才可以做大事，才可以成功。"

"啊，原来如此啊！想治好拖拉病就应该从小事做起，从简单的事情做起。"孩子在舞台上大声地笑了起来。

最后，孩子和医生，还有时间地鼠都站在舞台上一边唱歌一边跳起了舞蹈："没问题，没问题！没时间也没问题，没问题！有计划就没问题，没问题！制订

  再见了，拖拉

好计划就没问题,没问题! 其实遵守计划并不难,没问题,没问题!"

话剧结束后,台下的同学们和老师们都站起来鼓掌欢呼。

"下面我们邀请特别来宾上台。他不仅是我校的毕业生,也是我校广播台的师兄,而且还是我国著名主播金奇虎学长。"

一位穿着一身西服的男人走到了舞台上,金奇虎长得爽朗干净,因为经常在电视上被看到,所以他一上台台下的人们都认了出来。

"同学们,老师们,你们好!"熟悉的声音响彻了整个向天小学的大礼堂。

"哇,是真的!"同学们都大声欢呼起来。现场的秩序变得有点混乱,坐在后排的同学们为了要看金奇虎主播都已经站了起来。

邀请金奇虎主播是明月想出的主意,她向妈妈问起金奇虎时,妈妈马上记起了这个人。

明月在妈妈朋友的帮助下,好不容易得到金奇虎的电话号码。明月知道所有的一切都是《实现计划的

魔法笔记本》的功劳。

"学长,您小时候喜欢遵守计划吗?"明月微笑着问。

"不喜欢,当我没有完全理解制订计划的意义就在于要坚持执行时,我没有怎么遵守过计划,直到我找到实现计划的方法后,我才有了改变。刚开始我还很怀疑一张计划表能改变什么,但就是那张计划表改变了我的人生。如果我没有遵守计划生活,那么我绝对不可能站在现在这个位置上。"

慧秀说:"请您给我们讲讲实现计划的秘方吧。"

这时金奇虎主播微笑着回答说:"小目标也要努力地去实现,小目标的实现终究会让你实现大目标。计划表是实现梦想的基石,是为了迎接更美好的未来制订的。同学们,从今天开始你们也制订计划,实现计划吧。计划表可是拥有完全改变你未来方向的魔力哟!"

明月镇定地说:"今天是公开发表自己计划的日子。金奇虎学长,您可不可以告诉我们您的计划呢?"

"当然没问题。以后我每年都会来拜访我们学校,然后给那些想成为主持人的同学进行特别的培训！"

"哇！"同学们的欢呼声、鼓掌声响成一片。

接着是金奇虎主播的特别演出。他一边弹着吉他，一边像歌手一样帅气地唱着歌。他清亮的歌声在整个礼堂、整个学校里久久回荡。

夏天的阳光是那么耀眼，照耀着所有同学纯洁的梦想。

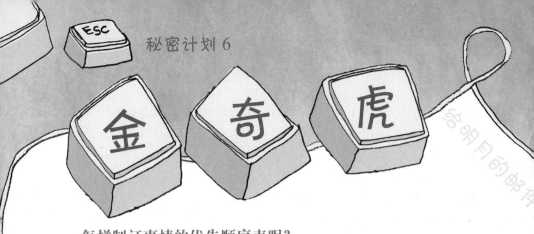

怎样制订事情的优先顺序表呢?

明月，假如你有一个小碗，现在我这里有一块大石头和几块小石头，还有一些沙子和一小杯水，我们怎么做才可以把这些东西全部放进碗里去呢?

我们当然要制订一个优先顺序表。首先我们把大石头放进碗里，然后把小石头放在大石头的上面，接着把沙子放进碗里，最后把水倒进去就可以了。

假如你处理事情遇到了困难，不知道该从何做起时，就可以像上面说的那样制订一个优先顺序表。

优先顺序表的制订也有它特有的方法，我们可以把需要处理的事情分成四份，即先做你觉得最重要和最应该完成的事情，然后做不重要但很紧急的事情，接着再做重要但不紧急的事情，最后如果还有剩余的时间就可以做既不重要也不紧急的事情。

实现计划的魔法笔记本

已经流逝的时间是永远也找不回来的。请想一想，怎么利用时间使人生更有价值。

有计划地生活是实现梦想的基石

　　我还记得小时候一到假期，我就会制订一个计划表。首先我会用圆规画一个圆，然后再把一天二十四小时画进去。我会把从起床到学习、阅读、写日记，还有和同学玩等各种事情分成好几个格子，然后在每个格子里涂上不同的颜色，接着我会把制订好的非常漂亮的计划表贴在墙上。晚上睡觉前我会暗暗地下决心，从明天开始一定要按照计划表生活。

　　但是第二天开始我就觉得很难按照计划表生活。虽然我还会努力地让自己按照计划表生活，但是一两次不按计划表生活后我就开始推托计划，最后干脆不理睬计划表了，结果我还是没能遵守与我自己的约定。

　　现在我知道我为什么不能坚持遵守计划表的原因了，因为当时我既不知道制订计划表的方法，又不知道实现计划的方法。我以为只要完美地制订出计划表就可以了，这样计划就能自动地实现了，但是现在我是真懂了，制订得好的计划表不应该是什么宏伟的计划，而应该是可以实现的计划。不管多么伟大的计划，只要是不能实现的都是空谈。

　　这本书里的主人公马明月也是如此。因为不能按照计

划表生活，所以她每天都会迟到，受到老师的批评，还让生病的妈妈担心。但是有着"太平公主"外号、不会担心、不会着急的明月自从进入广播台主持班以后，生活发生了翻天覆地的改变。她渐渐懂得实现计划的方法，最终成长为一名优秀的学生。

计划帮助我们规划未来，计划帮助我们成就梦想。

计划是约定。计划不仅是自己和自己的约定，也是自己和别人的约定。只要你不能实现计划，那就是失约。

计划是成长的力量。只要你能自觉地制订计划，遵守计划，那么你就已经开始成长了。

请大家也和明月一起学习实现计划的智慧吧。一步，两步，只要你能慢慢地和计划一起友好地走下去，那么不知不觉中，成功也会成为你的好朋友。

写于一个阳光明媚的日子　　徐志源

鄂新登字 04 号

图书在版编目（ＣＩＰ）数据

再见了,拖拉／(韩)徐志源著;(韩)李英林绘;南权萍译.——武汉:湖北少年儿童出版社,2012.6

(最励志校园小说)

ISBN 978-7-5353-6971-0

Ⅰ.①再… Ⅱ.①徐… ②李… ③南… Ⅲ.①儿童文学－中篇小说－韩国－当代 Ⅳ.①I312.684

中国版本图书馆 CIP 数据核字(2012)第 103329 号

어린이를 위한 계획성 The Power of Planning for Children
Text Copyright 2010 ⓒ Seo Ji-weon 徐志源
Illustration Copyright 2010 ⓒ Lee Young-rim 李英林
All rights reserved.
Simplified Chinese translation copyright ⓒ 2012 by Hubei Children's Press
Simplified Chinese language edition rights arranged with WISDOM HOUSE
PUBLISHING CO.,LTD through Eric Yang Agency Inc.

著作权合同登记号　　图字:17-2011-111

书　　名	**再见了,拖拉**			
ⓒ	徐志源 著　李英林 绘　南权萍 译			
出版发行	湖北少年儿童出版社	业务电话	(027)87679199 (027)87679179	
网　　址	http://www.hbcp.com.cn	电子邮件	hbcp@vip.sina.com	
承 印 厂	武汉中远印务有限公司			
经　　销	新华书店湖北发行所			
印　　次	2012 年 6 月第 1 版,2017 年 4 月第 50 次印刷		印张	10.75
规　　格	680 毫米 × 980 毫米		开本	16 开
书　　号	ISBN 978-7-5353-6971-0		定价	22.80 元